Bienvenue dans mon monde FANTASTIQUE...

Lunettes
de soleil
de Délia

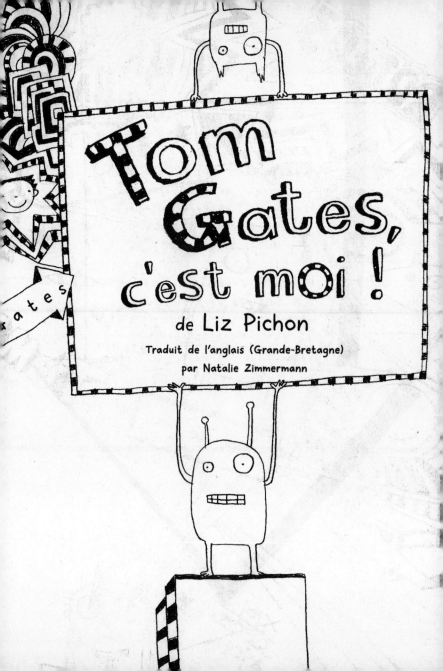

Tom Gates, c'est moi !

de Liz Pichon

Traduit de l'anglais (Grande-Bretagne)
par Natalie Zimmermann

Édition originale publiée en 2011
sous le titre
The Brilliant World of Tom Gates
par Scholastic Children's Books,
une marque de Scholastic Ltd
Euston House, 24 Eversholt Street
London, NW1 1DB, UK
© Liz Pichon, 2011

Pour la traduction française :
© Éditions du Seuil, 2012
© Librairie Générale Française, 2015,
pour la présente édition.

Mise en page : Anne-Cécile Ferron

Petite
bête

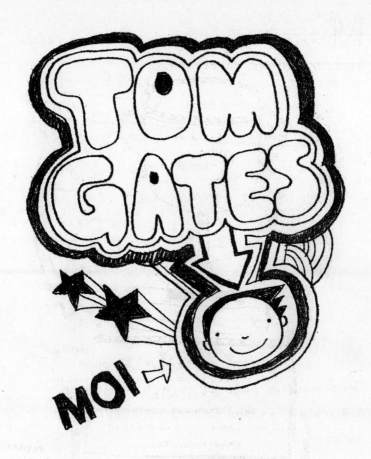

MOI →

OUAIS!

Même si j'habite à quatre minutes de l'école, je suis souvent en retard.

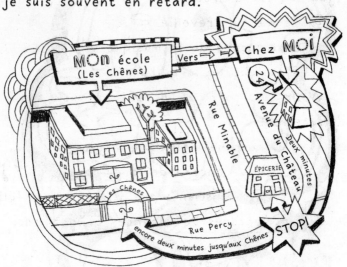

C'est généralement parce que Derek
(mon meilleur pote et voisin) et moi, on
« discute » un peu (d'accord, BEAUCOUP)
en chemin.

Il y a des fois où on se laisse distraire à
l'épicerie par de délicieux bonbons aux fruits
et des gaufrettes au caramel.
D'autres fois, c'est parce que j'ai des tas de
choses très importantes à faire.

Par exemple, voilà ce que j'ai fait ce matin (jour de la rentrée) :

☼ Je me suis réveillé 😴 😴

J'ai écouté de la musique ♪ ♪ ♪

J'ai joué de la guitare

Je suis sorti de mon lit en roulé-boulé (doucement)

J'ai cherché mes chaussettes

J'ai joué encore de la guitare ♪ ♪ ♪

J'ai pris conscience que je n'avais pas fait mes lectures de vacances obligatoires.

PANIQUE ◉ ◉ j'ai trouvé

une bonne excuse pour n'avoir pas fait mes devoirs (ouf !).

J'ai embêté ma sœur, Délia, ce qui, je le reconnais, a occupé un GROS bout de ce début de matinée (mais je ne regrette pas).

J'ai caché ses lunettes.

J'ai pris une BD pour lire aux toilettes (pendant qu'elle attendait devant - Ha ! Ha !).

Quand maman crie...

TOM ! Tu vas être en RETARD à L'ÉCOLE !

Je passe en coup de vent devant Délia (qui attend toujours devant les toilettes, complètement furieuse). Je ne prête aucune attention à son amour fraternel.

SALE TYPE !

Gagne un temps précieux en :

Ne me coiffant pas

Ne me lavant pas les dents

(pendant très longtemps)

Ne faisant pas de bise à ma mère en partant (trop vieux pour ce genre de truc).

Je mange la dernière tartine, puis attrape mon sac et mon vélo. Je crie **SALUT !** à qui peut m'entendre. Et je pédale non stop pour arriver à l'école en deux minutes.

Ainsi s'ouvre un **Nouveau** chapitre du MONDE DE TOM GATES... et là, c'est vraiment très cool...

AMY PORTER arrive tout juste elle aussi !

Je suis tellement content de la retrouver après les vacances que je lui adresse ce que je pense être un sourire chaleureux et amical. ☺

Ça ne lui fait ni chaud ni froid. Elle me regarde comme si j'étais bizarre (ce que je ne suis pas).

Moi en train de sourire

SALUT Amy!

(La journée commence mal.)

Et puis ça empire...

M. Fullerman (le prof) demande à toute la classe d'attendre dans le couloir. Il nous dit :

**– Chers élèves,
BON RETOUR parmi nous.
J'ai une GROSSE surprise
pour vous.**

(Ce qui n'annonce rien de bon.)

OH NON ! Il a changé TOUT LE MONDE de place. Je me retrouve assis au premier rang. Et le pire, c'est que je suis à côté de Marcus Meldrou, dit le Râleur.

C'est une CATASTROPHE. Comment je vais faire pour dessiner et lire mes BD, moi ? Quand j'étais assis au fond de la classe, je pouvais échapper au regard du prof. Maintenant, je suis tellement près de M. Fullerman que j'arrive à voir dans ses narines.

Et comme si ça ne suffisait pas, Marcus Meldrou est le plus grand enquiquineur de TOUTE l'école. Il faut TOUJOURS qu'il se mêle de tout et il croit tout savoir.

Marcus Meldrou m'enquiquine déjà...

Il regarde par-dessus mon épaule pour voir ce que j'écris.

Il regarde encore...

Il regarde toujours...

Oui, MARCUS, je parle bien de

MARCUS MeLdrou

a une tête de souris.

Marcus Meldrou a une tête de

Marcus le renne...

(Il a arrêté de regarder.)

Mais, la bonne nouvelle, 🙂 c'est que je suis aussi à côté d' **AMY PORTER** qui est super intelligente et super sympa (même si elle n'a pas eu l'air ravie de me voir ce matin).

GÉNIAL ! ☆ Comme ça, je pourrai au moins jeter un coup d'œil 👁 👁 par-dessus son épaule pour avoir quelques bonnes réponses.

Là, je crois qu'elle me regarde.

AMY PORTER est <u>très</u> sympa.

AMY PORTER est INTELLIGENTE.

En fait, elle ne me regarde pas.

Je crois même qu'elle m'ignore exprès.

Alors autant arrêter d'écrire des trucs sympas et faire des petits dessins.

(Ça me remonte le moral.)

Marcus
se fait écrabouiller
par un
GROS
Monstre

17

Alors, M. Fullerman dit...

– Comme vous le voyez, j'ai procédé à quelques changements.

(Comme si on n'avait pas vu !)

Et puis il commence à faire l'appel.

(Avant, j'en profitais pour faire quelques chouettes dessins ou pour lire vite fait des planches de BD. Mais maintenant, je suis SI près de M. Fullerman et de ses yeux de lynx ☉ ☉ que je dois attendre qu'il ait fini et s'éloigne vers le fond de la classe pour griffonner dans mon cahier.

C'est bon, il est parti. Il faut que je réfléchisse à un nom pour notre groupe, à Derek et à moi. On n'est pas ENCORE très au point... mais si j'arrive à trouver un nom vraiment classe, ça nous donnera l'air plus cool.

Mo Fullerman interrompt mon dessin
(j'ai tourné la page vite fait pour qu'il
ne puisse pas voir) en me tendant le sujet
du premier devoir sur table du trimestre.
(Ouille ouille ouille !)

Rédaction sur vos vacances

Chers élèves, ravi de vous revoir,

Aujourd'hui, je voudrais que vous me racontiez vos vacances d'été.

* Êtes-vous partis ?
* Avez-vous séjourné dans votre famille ?
* A-t-il fait beau et où cela s'est-il passé ?

Pensez à tout décrire en donnant beaucoup de détails.

J'ai hâte de tout savoir sur vos vacances !

M. Fullerman

(Mes vacances n'ont pas été terribles... mais elles se terminent très bien.)

Voilà ce que ça donne : ⇨

Le Camping, ça craint

Cette année, papa a annoncé :

— On va camper. C'est pas cher.

Maman n'avait pas l'air ravie, mais comme je n'avais jamais fait de camping, j'étais impatient d'essayer. Je suis allé avec mon père dans un magasin spécialisé pour acheter des articles essentiels du genre :

1. Tente
2. Sacs de couchage
3. Vaisselle
4. Canne à pêche
5. ~~Télé~~
6. ~~Ordinateur~~

— On n'a pas besoin de grand-chose, a-t-il décidé.

Papa

Mais il y avait plein de trucs super dans le magasin, et papa s'est laissé emporter. Il a dépensé BEAUCOUP d'argent et il m'a fait promettre de ne rien dire à maman.

— Ça nous aurait coûté moins cher de descendre dans un bon petit hôtel, a-t-il râlé quand on est passés à la caisse.

— Oui, mais rien ne vaut de dormir à la belle étoile et de se réveiller au grand air, a répondu le vendeur en prenant notre argent.

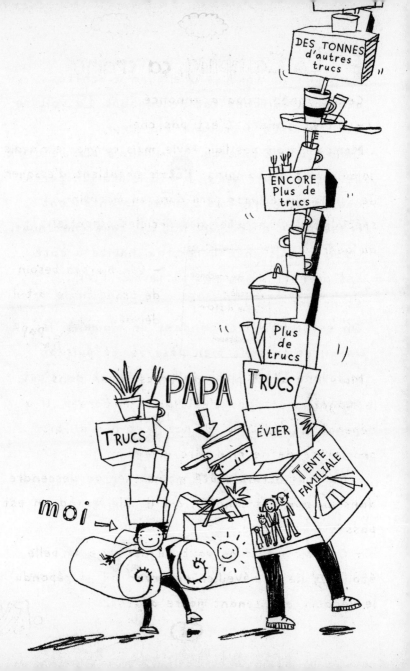

En plus de tout ce que papa a acheté, maman a fait des tas de bagages. La voiture était bourrée à craquer. Ma sœur, Délia, faisait la tête.  Elle n'a plus le droit de rester toute seule à la maison parce que, la dernière fois que les parents l'ont laissée, elle a fait une MÉGA teuf chez nous. (Moi, j'étais chez Derek, qui habite à côté. Ses parents n'ont pas pu fermer l'œil, et ils ont râlé.)

On est partis, et, pendant un moment, les vacances se sont bien passées. Et puis on a tourné là où il ne fallait pas, et on s'est perdus.

Maman a reproché à papa de ne pas l'écouter. Papa a reproché à maman de ne pas savoir lire une carte. Ils se sont fait plein de reproches.

C'est seulement quand on a crevé qu'ils ont arrêté de se disputer. Ils ont appelé le service de dépannage, qui a quand même fini par se ramener. Ça a pris un TEMPS INFINI de réparer le pneu, et il faisait déjà nuit quand on est arrivés au camping.
Délia râlait (elle râle toujours). Elle a dit que c'était **POURRI** comme endroit et qu'elle ne captait pas de signal pour son téléphone. Ha ! Ha ! Ha ! Moi, je trouvais que ça avait l'air bien. J'ai aidé papa à monter la tente pendant que maman vidait la voiture.
(Délia, elle, se tournait les pouces.)

La tente n'était pas évidente à monter, mais on a fait ce qu'on a pu.

Il était un peu tard pour manger.

– Je vous ferai un maousse petit déjeuner demain matin, a promis papa.

Mais j'avais le ventre qui GARGOUILLAIT et je n'arrivais pas à dormir. 😑 😑 Et puis je me suis rappelé que j'avais planqué des biscuits dans mon sac. Je les ai pris et j'ai tout mangé ! Ça a mis des miettes partout et mon sac de couchage est devenu très inconfortable. Même si on avait une « tente familiale » avec des chambres séparées, Délia m'entendait me tortiller, et ça l'a énervée. SUPER ! Alors j'ai gigoté encore plus. Mais, en même temps, j'entendais les parents...

Ronfler,

et ça m'empêchait complètement de dormir aussi. C'était horrible. On aurait dit que le bruit ENFLAIT. Ça faisait penser à un roulement de tonnerre, tellement ça grondait. Mais soudain, je me suis rendu compte que ça ressemblait au tonnerre... parce que c'était le tonnerre. Et que ça se rapprochait. Il y a eu des éclairs et il s'est mis à pleuvoir en plein sur la tente. C'était un orage TERRIBLE, et notre tente n'a pas tenu longtemps.

ARGH!

AU SECOURS!

On a dû courir se mettre à l'abri dans la voiture. L'orage a duré toute la nuit, et toutes nos affaires se sont retrouvées mouillées et pleines de boue. Papa avait monté la tente à côté d'un RUISSEAU ! Le ruisseau a débordé et tout a été trempé. Personne n'a dormi. C'était affreux.

Cherchez le problème...

Le lendemain matin, papa a essayé de se faire rembourser la place de camping, vu qu'on avait dormi dans la voiture.

Il a beaucoup râlé, mais ça n'a pas marché. Maman a ramassé toutes nos affaires trempées, qui étaient toutes fichues (y compris la tente). Je l'ai entendue marmonner des trucs comme « des vraies vacances l'année prochaine » et « la Grèce ».

Délia pleurnichait (encore) parce que son portable avait pris l'eau et ne marchait plus. Ça m'a remonté le moral. Alors j'ai décidé de profiter de ces vacances à fond et de partir en exploration. Il y avait plein d'arbres qui avaient l'air parfaits pour grimper. J'en ai choisi un et j'arrivais presque en HAUT quand une branche a CASSÉ sous mon pied.

Je ne m'étais pas rendu compte que j'étais si haut avant de tomber...

C'était assez impressionnant... Délia m'a entendu (CRIER) quand j'ai heurté le sol. Elle s'est approchée et m'a regardé sans rien faire me tordre dedouleur en me tenant le bras.

Ha!
Ha!
Débile !

Ça se présentait VRAIMENT MAL, mais elle n'avait pas l'air très inquiète. Elle a quand même fini par aller chercher maman.

- On avait vraiment besoin de ça, a dit ma mère en me conduisant à la tente de secours.

On m'a donné une sucette et on m'a bandé le bras (j'ai été très courageux). ☺

Nos vacances en camping ne semblaient pas devoir s'éterniser. La météo prévoyait encore de la pluie, et les parents ont décrété que dans ces circonstances (plus de tente ni de vêtements secs), mieux valait rentrer à la maison. ☹

Ça ne me dérangeait pas trop, et Délia était enchantée. Alors on a fait les bagages et on a quitté le camping. Maison

Sur le chemin du retour, on s'est arrêtés dans un restaurant sympa où j'ai réussi à manger une pizza gigantesque avec une seule main. Mon autre bras me faisait vraiment mal, ☹ mais je n'ai rien dit parce que c'était la première fois depuis longtemps que tout le monde avait l'air content.

Mo, Mme Fingle et Derek, nos voisins, ont été très étonnés de nous voir ☉ ☉ rentrer si tôt. Mon bras me faisait à ce moment-là tellement MAL que je suis allé tout de suite l'examiner dans ma chambre.

 Il avait pris une couleur violette inquiétante et avait GONFLÉ comme un ballon. ☉ ☉

Je l'ai montré à mes parents, qui ont paniqué, et Délia m'a dit que j'avais l'air d'un MONSTRE (ce qui était gentil de sa part). Papa et maman sont remontés vite fait dans la voiture pour m'emmener à l'hôpital, et ma sœur est restée toute seule à la maison.

Heureusement, je n'avais rien de grave. Mon bras était juste tordu et on m'avait mis un bandage trop serré. On m'en a donc fait un nouveau et mis le bras en écharpe, ce qui était très cool. ☺

(Apparemment, je survivrai.)

QUAND on est rentrés à la maison,

il était tard, et la musique si fort qu'on l'entendait **HURLAIT** de dehors.

Les parents étaient

FURIEUX.

Délia avait invité plein de copains et elle a passé un mauvais quart d'heure.

Ça m'a fait tellement plaisir que Délia se fasse gronder et priver de sorties que j'en ai oublié mon mal au bras. En fait, ça a sûrement été le **MEiLLEUR MOMENT** de toutes mes vacances.

À quoi tu pensais ?

Tu es privée de sortie !

Ouais!

FIN

Tes vacances semblent avoir été
très mouvementées, Tom !
Excellent travail. J'avais l'impression
d'y être...mais je suis content
que ce ne soit pas la cas !

bons points

OUAH !

M. Fullerman a adoré ma rédaction ! Je n'avais jamais eu **5** bons points avant. Je laisse mon cahier ouvert pour qu' **AMY PORTER** puisse voir comme je suis brillant. Mais elle ne paraît pas très intéressée. Peut-être que ça la fera changer d'avis...

J'ai eu 5 BONS POINTS

Non, elle ne regarde toujours pas.

Marcus m'apprend qu'il a eu cinq bons points lui aussi.

- Super, je dis.

- On est comme des jumeaux maintenant.

(Qu'est-ce qu'il est pénible.)

Je montre ma rédaction à mes parents parce que je me dis qu'ils seront contents de moi (pour changer).

Au lieu de ça, maman me donne un mot à remettre
à M. Fullerman.

Cher M. Fullerman,

Nous sommes ravis que Tom ait
obtenu cinq bons points. Mais nous
voudrions préciser que ce n'est pas le
genre de vacances que nous passons
habituellement. Nous sommes en réalité
des parents TRÈS responsables.

Le bras de Tom est complètement guéri
au cas où vous vous poseriez la question
(et au cas où il essayerait de se faire
dispenser de sport).

Bien à vous

M. et Mme Gates

Je crois que ma mère a eu peur que ma
rédaction donne une mauvaise image d'eux.

LA RÉCRÉ !

Je passe du temps avec des potes que je n'ai pas vus pendant les vacances. Mark Clump a eu un autre animal (mais il ne veut pas me dire ce que c'est !).

Norman Watson n'a pas le droit de manger de bonbons ni QUOI QUE CE SOIT avec des E-quelque chose dedans parce que ça lui fait PÉTER les plombs.

Mais il est en train de courir dans la cour avec son pull remonté sur la tête en criant :

– Je suis un homme de l'espace, je suis un homme de l'espace !

Ce qui me fait penser qu'il a déjà dû prendre des bonbons en douce aujourd'hui.

Salomon Stewart (qu'on appelle BALÈZE) est le plus grand de toute l'école. Et je crois qu'il a ENCORE grandi.

Derek nous rejoint (on nous a séparés parce qu'on (bavardait) trop, et il est dans la classe de Mme Cherington). Je l'ai beaucoup vu pendant les vacances (ses cheveux ont poussé - pas lui).

Je lui montre mes dessins et mes idées pour le nom du groupe. (C'est CLEBSZOMBIES qu'il préfère... comme moi.)

Et puis Marcus Meldrou vient se mêler de la conversation.

- Qu'est-ce que c'est ?

- Des idées pour notre groupe.
- Quel groupe ?
- Derek et moi, on fait un groupe, et on se cherche un nom.
- Fastoche.

- Vraiment ? (Marcus a une idée.)

– Ouais, vous n'avez qu'à vous appeler

« PLUS RINGARDS TU MEURS ».
Ha ! Ha ! Ha !

Marcus est encore plus enquiquinant cette
année que l'année dernière (si c'est possible).

Marcus
est un
CRÉTIN

Ha!
Ha!
Ha!

M. Fullerman nous a déjà donné des devoirs.
C'est comme si on n'avait jamais eu de vacances.

DEVOIR

Je voudrais que vous écriviez une CRITIQUE.

Il peut s'agir de la critique d'un livre, d'une pièce de théâtre, d'un concert ou d'un film : quelque chose que vous avez lu ou vu.

Posez-vous beaucoup de questions :

Racontez le film / livre / concert.
Qu'est-ce que vous avez aimé ?
Qu'est-ce qui vous a déplu ?
De quoi ça parle ?

En attendant avec impatience de vous lire,

M. Fullerman

(Je vais regarder ce qui passe à la télé ce soir, et je lirai le résumé du journal. Ce sera un bon début.)

41

L'OMBRE
de M. Fullerman

C'est vraiment dur pour moi d'être placé aussi
près du prof.
Parce que je suis obligé de... TRAVAILLER.
C'est ÉPUISANT !

(Amy n'a pas l'air enchantée d'être assise à côté
de moi. Peut-être que si elle me voit travailler,
elle va me croire intelligent ?)
Je vais essayer de l'impressionner.

Elle vient de me surprendre en train de regarder
par-dessus son épaule. Je fais semblant de
dessiner, mais elle m'a percé à jour.

Je sais... je vais dessiner un truc MARRANT.
M. Fullerman avec des cheveux...

(Ça laisse Amy complètement froide.)

Après la classe, je retrouve Derek près
de la remise à vélos. On a des vélos très cool.
Le mien est couvert de stickers et de petits
dessins. Celui de Derek est un peu cabossé,
mais il est super rapide. Dans la remise,
il y a aussi un vélo très bizarre qui attire
notre attention (pas dans le bon sens).
Il est couvert de FOURRURE
et de petites touffes de PELUCHE, il a deux
gros yeux stupides qui tremblotent et
des machins bizarres qui pendouillent de chaque
côté du guidon.

- On dirait Marcus, se moque Derek.

- Ou Norman Watson quand il a mangé des bonbons ! je réponds.

- Je parie que c'est à un petit nouveau sans cervelle ! dit Derek.

J'en rajoute :

- Qui oserait se trimballer avec un vélo aussi ridicule ?   On rigole bien
                                                          tous les deux !

Ha! Ha! Ha! Ha!
Ha! Ha! Ha! Ha!

Mais AMY PORTER ne rigole pas du tout, parce que c'est son vélo.   TuT
                                                                    TuT

Stan, le gardien de l'école, secoue la tête et fait des petits tut-tut désapprobateurs (ce qui fait tinter ses clés) parce que j'ai (ENCORE) vexé Amy. Elle me traite d' IDIOT et monte sur son vélo. Je lui dis que je m'excuse, mais Amy ne fait pas attention. (Elle n'a pas fait attention à mes cinq bons points non plus.)

Ça a été une journée pourrie.

En rentrant, je vois partout des affiches de mon groupe préféré, **RODEO 3**. Mais ça ne suffit pas à me remonter le moral.

Derek fait tout ce qu'il peut pour me faire rire. Mais je ne pense qu'à Amy, qui me traite d'idiot (dur), et à Marcus, qui nous traite de ringards.

– Regarde le bon côté des choses, me conseille Derek.

Mais quand je lui demande ce qu'il appelle le bon côté des choses, exactement... il me répond juste :

– C'est une façon de parler.

Super !

Il faut que je trouve un moyen de me rattraper avec Amy, et ça ne va pas être facile.

La répétition de ce soir avec Derek risque d'être un peu plombante, vu que RIEN ne pourra chasser mon cafard.

Rien du tout...

JOUR POURRI

MAMAN A ACHETÉ

GAUFRETTES CARAMEL

des gaufrettes au caramel

FANTASTIQUE !

Génial ! MES BISCUITS PRÉFÉRÉS !

Hourrah ! Hourrah ! Hourrah ! Hourrah !
Hourrah ! Hourrah ! Hourrah ! Hourrah !

(J'ai soudain retrouvé le moral.)

Derek et moi, on se mange deux gaufrettes chacun et on boit du jus d'orange. 🥤
(La préparation idéale avant une répète.)

Maman me dit d'en laisser
une pour Délia !
(Tu parles !)

Alors je prends la dernière et je montre à Derek mon tour préféré.

Lequel se décompose comme suit :

1. Retirer avec précaution la gaufrette de son emballage.

2. Manger rapidement la dernière gaufrette avant l'arrivée de Délia (une moitié chacun).

3. Replier l'emballage avec soin pour donner l'impression que la gaufrette est encore à l'intérieur.

(Vide)

4. Regarder Délia ouvrir l'emballage vide (ha ! ha !).

Mon tour a marché du TONNERRE.

J'entends Délia se plaindre de moi à maman, en bas. Alors j'en profite pour aller lui piquer quelques exemplaires de **ROCK HEBDO** dans sa chambre.

C'est pour Derek et moi.

(Ça donne des idées pour répéter. Il y a plein de super photos de groupes, là-dedans.)

Chacun notre tour,
on fait des essais
de

POSES DE ROCK STARS.

Lunettes
de soleil
de Délia

Il y en a de plus
réussies que d'autres.

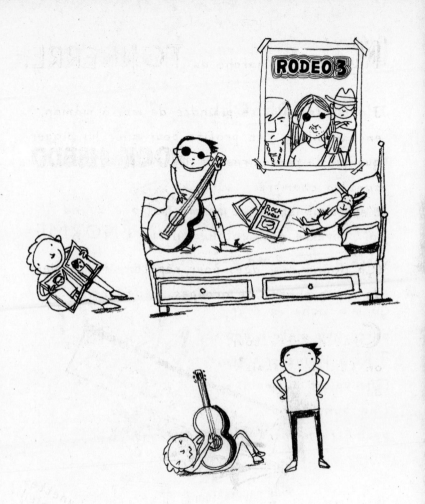

(Faut pas que j'oublie de faire le devoir de cette semaine – écrire une critique... Ça ne devrait pas être trop dur.)

M. Fullerman

Je suis très <u>DÉSOLÉ</u>.

Vous ne devinerez jamais ce qui s'est passé.

Je venais juste d'écrire ma critique quand j'ai renversé accidentellement un ÉNORME verre d'eau sur ma page.

Ça m'a fichu un coup,
parce que c'était une
TRÈS bonne critique.
(Elle valait au moins
cinq bons points,
peut-être même six.)

ARGH !

Mon pauvre Tom !

Quel dommage. Tu me la réécriras pour demain. Je suis impatient de te lire. Et fais attention aux grands verres d'eau – on ne s'en méfie jamais assez !

(Je crois que mon excuse est passée,
mais faut vraiment que je la fasse, cette
critique, pour demain.)

Arts plastiques... génial ! C'est une de mes matières préférées.

M. Fullerman voudrait qu'on fasse notre autoportrait.

Les autoportraits seront ensuite affichés **DANS TOUTE L'ÉCOLE** pour que tout le monde les voie ⊙ ⊙ (et rigole, probablement).

M. Fullerman nous donne des petits miroirs pour qu'on se regarde dedans pendant qu'on dessine (ce qui n'est pas évident du tout).

Pour une fois, la classe est calme et concentrée sauf Norman Watson, qui n'arrête pas de renvoyer la lumière dans la figure des autres avec son miroir. Il doit changer de place.

Au bout d'un moment, Mme Cherington (la maîtresse de Derek) vient remplacer M. Fullerman, qui a des trucs bien plus importants à faire (genre boire du café ou lire le journal).

Mme Cherington nous prend de temps en temps en maths. Elle est toujours très enthousiaste. Et là aussi, elle est très enthousiaste.

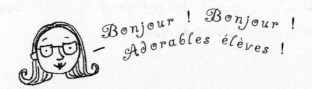

Bonjour ! Bonjour ! Adorables élèves !

~ J'ai hâte de voir tous vos ravissants dessins, nous dit-elle joyeusement.

Comme j'adore le dessin, je travaille encore plus dur.

L'autoportrait d'Amy est un peu bizarre. (Elle n'a pas du tout cette tête-là.)

Mais il est quand même mieux que celui de Marcus, qui s'est dessiné avec une très GROSSE tête (bon, ça, c'est assez réaliste).

Mme Cherington s'aperçoit que j'ai fini mon portrait et s'approche pour regarder.

~ Quel merveilleux dessin, Tom ! s'exclame-
t-elle.

Avant d'ajouter :
~ M. Fullerman sera content !

Mais je ne l'écoute plus... parce que je
viens de remarquer que, vue d'aussi près,
Mme Cherington a, au-dessus de la lèvre
supérieure, quelque chose qui ressemble un peu
à, eh bien,

⊙ ⊙   à une...

MOUSTACHE !

J'essaie de toutes mes forces de ne pas regarder. (Et ce n'est vraiment pas facile.)

(Ne regarde pas... Ne regarde pas... Pense à sa figure, pas à sa moustache.)

~ *Tom, pourquoi ne dessinerais-tu pas un autre superbe portrait ?*

Bonne idée.

~ *Seulement, cette fois, essaye de penser très fort à la personne que tu dessines. Et n'oublie pas de mettre PLEIN de détails.*

D'accord, Mme Cherington,
je vais faire de mon mieux.

Et voilà...

J'ai le sentiment que Mme Cherington n'aime
pas beaucoup mon portrait (ni moi) cette fois.

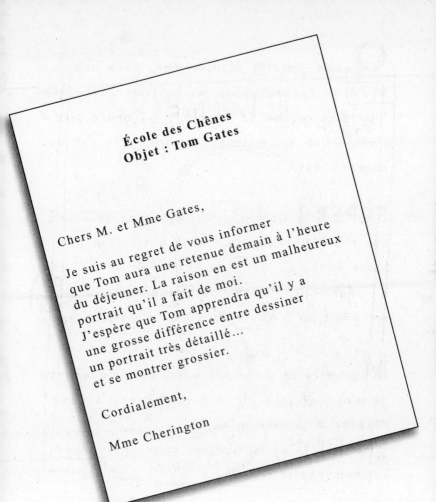

École des Chênes
Objet : Tom Gates

Chers M. et Mme Gates,

Je suis au regret de vous informer que Tom aura une retenue demain à l'heure du déjeuner. La raison en est un malheureux portrait qu'il a fait de moi. J'espère que Tom apprendra qu'il y a une grosse différence entre dessiner un portrait très détaillé... et se montrer grossier.

Cordialement,

Mme Cherington

(Compris. À partir de maintenant, ne jamais laisser les profs regarder mes dessins.)

Quand j'arrive à la maison, papa est DÉJÀ au courant pour ma retenue parce que Mme Cherington l'a appelé. Encore pire : c'est Délia qui a décroché, donc elle est au courant aussi.

SUPER ! Comme si la lettre ne suffisait pas. Mme Cherington aurait aussi bien pu louer un avion TOM a une retenue ! ou une montgolfière pour annoncer ma punition à toute la ville... (Grrrr.)

TOM
A UNE
RETENUE

Mon père le dit à ma mère, et maintenant, je n'ai plus le droit d'inviter Derek à venir répéter à la maison ce soir.
EN PLUS, maman me colle une corvée supplémentaire.

- Tu balaies la cuisine ou tu sors les poubelles (qui puent).
Tu parles d'un choix.

Délia est trop contente. Elle n'arrête pas de me répéter

«PAUVRE PETIT» en prenant une voix de bébé complètement stupide, et ça me rend dingue.

(Mais je ne peux pas lui montrer qu'elle m'énerve, sinon elle va continuer TOUTE la nuit et peut-être même toute la journée de demain et d'après-demain.)

Papa et moi, on a une petite discussion Il me dit que si je ne travaille pas à l'école, je finirai comme lui. Franchement, je trouve que ce ne serait pas si mal, parce qu'il a un boulot plutôt sympa.

Et patati Et patata

Il a son bureau à lui (bon, d'accord, c'est une cabane dans le jardin), où il s'occupe de trucs d'ordinateurs ou je ne sais pas quoi. Des fois, il va travailler dans le bureau des autres.

Maman aime bien quand ça arrive parce qu'il se fait plus chic et qu'il gagne plus d'argent.

Moi, je préfère quand mon père travaille à la maison parce qu'il a une provision SECRÈTE de gaufrettes au caramel que je peux manger dans la cabane (maman n'est pas au courant).

Je suis donc en train de balayer la cuisine quand Mamie Mavis débarque pour emprunter un livre de cuisine.

Salut Tom ! Je passe juste emprunter un livre de cuisine !

(J'appelle mon grand-père et ma grand-mère

parce qu'ils sont
tous les deux
très, très vieux.)

- Tu ne te sers jamais de livres de cuisine !
dit ma mère, étonnée.
- J'invite toute la famille à déjeuner,
annonce Mamie.
- C'est vrai ?
(Oh là là... ce n'est pas vraiment la joie.
Je vais vous expliquer...)

Mamie Mavis et Papy Bob ne sont pas vraiment des grands-parents classiques.

Surtout quand il s'agit de nourriture.
Ils aiment bien les mélanges très bizarres.

Corn flakes au thé
(Gain de temps, apparemment)

Poire   oignon   soupe   beurk!

Et puis Mamie est complètement nulle en cuisine. Alors maman lui prête une pile de bouquins en espérant qu'elle finira par suivre une vraie recette.

Je balaie toujours, et j'essaie d'apitoyer
Mamie en prenant ma
« mine de chien battu ».
Avec un peu de chance,
elle me donnera de l'argent de poche
supplémentaire (ça lui arrive parfois).

Mais Maman lui raconte pourquoi je balaie
la cuisine.

(Retenue... blablabla... dessin... blabla....
moustache... blabla.)

Et maintenant, elle veut que j'aille acheter du
LAIT ! (travail, travail, travail)
– Pour que Mamie puisse prendre son thé.
Heureusement, ma grand-mère me donne de
l'argent pour que je puisse m'acheter quelque
chose. – BIEN JOUÉ

68

À l'épicerie, je cherche comment dépenser l'argent de Mamie (des bonbons ? Des gaufrettes au caramel ?) quand je repère ⊙ ⊙ le dernier numéro de

ROCK HEBDO

Et en couverture, il y a le meilleur groupe du monde entier. **RODEO 3**

Il **FAUT** que je l'achète ! Et il me reste même assez de sous pour deux caramels mous aux fruits. **GÉNIAL !**

Maman demande :  Où est le lait ?

(Soudain, je me rappelle pourquoi je suis allé à l'épicerie, et je cache mon **ROCK HEBDO** derrière mon dos.)

– Il n'y en avait plus, je réponds.

(**OUF !** Du tac au tac... il faut que je parle à Derek de **RODEO 3** .)

À la place du thé, Mamie Mavis prend de l'eau chaude avec une rondelle de carotte dedans. Elle est vraiment barge.

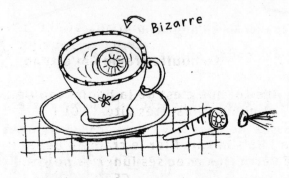

Bizarre

J'ai lu toute l'interview des **RODEO 3**
et je n'arrive pas à croire qu'ils viennent donner
un concert DANS NOTRE VILLE.

J'écoute leur dernier titre sur l'ordinateur et
je regarde toute la tournée prévue.*

C'est DINGUE. Derek est en ligne, et
il est aussi excité que moi.

RODEO 3 RODEO 3 RODEO 3 !
Wouaaaaaahouuuuuuu !!

J'en peux plus d'attendre RODEO 3.
J'ai TELLEMENT envie d'y être !!!

MOI PAREIL... GÉNIAL ! Je pourrai
lire ton journal ? Tu l'apportes demain !

Fais de la pub aux RODEO 3.
Le pater appelle.
La bouffe cramée m'attend.

Dis-toi que c'est de la bouffe rapide...
et mange très, très vite... LOL !

Ha ! Ha ! Je vais filer le cramé à Délia.
Elle verra rien avec ses lunettes noires.
CETTE TORDUE !

* www.rodeo3.com

(71)

Bonne nouvelle pour le concert.
Mauvaise nouvelle pour moi et Derek :
on est trop jeunes pour y aller tout seuls.
Papa voudra sûrement venir aussi. Ça me va
s'il me **PROMET** de :

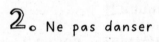

1. Ne pas chanter

2. Ne pas danser

← Honte

3. Ne pas porter
de fringues qui filent
la honte

Ce n'est pas évident parce qu'il adore faire tous
ces trucs (et parfois les trois en même temps).

Comme D'HABITUDE...

(Je retourne lire **ROCK HEBDO**.)

RODEO3 EN CONCERT !

Rock Hebdo a voulu savoir où en étaient les Rodeo 3 alors qu'ils s'apprêtent à partir en tournée pour interpréter tous leurs tubes sur scène : « Rodeo Rock ! », « Rock à donf », « Rodeo met le feu ». Avec un nouvel album bientôt dans les bacs, rien n'arrêtera Rodeo 3 !

RODEO3

Ne rate pas les RODEO 3

HOURRAH !

Les Chênes - la Méga-Halle - 1er

Salle des fêtes de Turpin - lu. 4
Le Pas du loup - la Halle au blé - ma. 5
Colinbourg - le Pyramide - ven. 8
Planouillet - le Colisée - sam. 9
Brimboles - le Grand Dôme - lu. 11
Cafardon - Au palais du Riz - ma. 12
Bassin de Morfle - piscine Appolo - mer. 13
Douillet - le NIT - sa. 16

Les Chênes

Ouais !

J e n'ai quasi pas dormi, cette nuit.

Je n'arrive pas à penser à autre chose qu'au
concert de

dans notre ville. C'est géant !

Même Délia est excitée. (Enfin, tout est relatif...
C'est difficile à évaluer.)

TRISTE   CONTENTE   DÉCHAÎNÉE

Tant qu'elle ne s'approche pas de moi, ça ne me
dérange pas.

Les billets sont HYPER chers.
Si je veux que papa les achète, il va falloir
que je sois plus gentil que jamais .
Ça va être dur, mais ça vaut le coup.

Tiens,
papa, la
télécommande.

Ça
va ?

Un
biscuit ?

Tu l'as
léché ?

Du thé ?

Qu'est-ce
que tu as
cassé ?

Je lis mon numéro de **ROCK HEBDO** dans la salle de bains pendant que Délia COGNE contre la porte. Plus elle s'énerve, plus je lis lentement, et il me faut un temps infini pour me laver les DENTS.

Ça me met encore en retard pour l'école (mais ça vaut le coup). Je ne prends pas le temps de me peigner, j'enfile juste mes fringues qui traînent par terre (elles sont en bouchon... mais c'est pas grave).

fringues en tas

Et puis j'engouffre le plus de tartines possible dans ma bouche et je prends une pomme à manger en *Tartine* chemin (et à vélo, croyez-moi, c'est pas facile).

J'arrive dans la classe de M. Fullerman avec 30 secondes d'avance.

Moi, très occupé...

Je suis plutôt content de moi, alors j'adresse un nouveau sourire conquérant à Amy, qui, curieusement, me regarde avec une mine DÉGOÛTÉE.

Pourquoi ?

M. Fullerman annonce :

– J'espère que vous vous souvenez tous que c'est le jour de la photo individuelle.

NON ! NON ! NON !

(J'avais complètement oublié.)

Ce crâneur de Marcus s'en est visiblement souvenu, lui. Il brille comme un sou neuf. Beurk.

Pouah !

Je suis un peu plus négligé que d'habitude, à cause de mon retard de ce matin. Tant pis, c'est pas grave. De toute façon, ça n'est jamais terrible, les photos scolaires.

Oreilles
de lapin

Tous les élèves font la queue dans la grande salle. Je suis deuxième, juste derrière Norman Watson, qui est nerveux et agité. (J'espère vraiment qu'il n'a pas mangé de bonbecs.)

Le photographe demande à Norman
       d'« arrêter de gigoter ».

(Oh ! mince... à coup sûr, il en a mangé.)

Enfin (après **DES TAS** d'essais) Norman reste tranquille juste le temps de prendre une photo.

Le photographe murmure :

– Ça va être une très longue journée.

Ensuite, c'est mon tour.

Florence Mitchell  (encore une fortiche)
et Amy me regardent.

IDÉE

J'ai une idée. Je vais essayer d'avoir
l'air SOMBRE et VICIEUX un peu comme les
photos de **RODEO 3** dans **ROCK HEBDO**.

GÉNIAL !

Mais le photographe ne comprend rien et me demande de SOURIRE !

Alors j'étire les lèvres (un petit peu), et il me dit, **CARRÉMENT FORT :**

– Oh ! zut, tu as un truc vraiment MOCHE coincé entre les dents.

(LA HONTE !)

Il s'approche et me tend un miroir. (Vous imaginez une situation plus embarrassante ?)

– Et il faudrait faire quelque chose avec tes cheveux en bataille. Tiens, voilà un peigne.

Maintenant, TOUT LE MONDE me regarde. (C'est encore beaucoup plus gênant.)

J' ai des miettes de pain collées autour de la bouche et de la peau de pomme coincée entre les dents. (Pourquoi Amy ne m'a-t-elle <u>rien</u> dit ?) Et maintenant, en plus, je suis rouge cerise.

C' est raté pour la photo cool. Celle-là va être carrément épouvantable. 😕

Le photographe prend la photo et je me tire vite fait de la salle. Je me suis humilié devant **TOUTE** la classe.

Maintenant, je vais être obligé de cacher cette photo jusqu'à la fin de mes jours. Il ne faut surtout pas que ma MÈRE la voie. Elle a la manie d'envoyer mes photos d'école à <u>toute</u> notre famille, dans le MONDE ENTIER.

Photos scolaires de TOM

On a des cousins au second degré en Mongolie qui ont mes photos de classe sur leurs murs.

Dest. : Véra Gates
5, allée de la verdure
Mongolie
Le Monde
(Photo de Tom Gates, <u>ne pas plier</u>)

LA RÉCRÉ

Je cherche Derek dans la cour, mais je ne le vois nulle part. Son vélo est dans la remise, alors je sais qu'il est là. Sa photo s'est-elle passée aussi mal que la mienne ? (Impossible.)

Je demande à Salomon le Balèze (le plus **GRAND** type de toute l'école, s'il l'aperçoit.

TRÈS GRAND

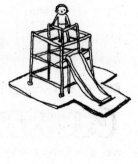

Balèze me montre un garçon grimpé sur la cage à poules. Il ressemble un peu à Derek, mais ça ne peut pas être lui parce qu'il a la chemise boutonnée jusqu'en haut ET une horrible raie impeccable sur le côté.

RAIE SUR LE COTE

- C'est ma mère qui m'a obligé, se défend Derek. Pour la photo de l'école.
(La honte.)

Et puis Derek se suspend la tête en bas dans la cage à poules, et sa coiffure redevient normale. Ça vaut mieux, parce qu'un membre des

CLEBSZOMBIES

ne peut pas avoir la raie sur le côté comme ça.

Ensuite, avec Derek, on discute surtout...

1. De **RODEO 3**, qui est le **MEILLEUR** groupe de tous les temps.

2. Du concert, auquel on doit aller ABSOLUMENT.

3. De **CLEBSZOMBIES**, qui doit répéter beaucoup plus pour devenir le **MEILLEUR** groupe de TOUS LES TEMPS.

4. De PETITS GATEAUX - quels sont les meilleurs : les sablés au chocolat ou les gaufrettes au caramel ?

5. De savoir quels biscuits manger aux répétitions

Chocolat   OU   caramel ?

GAUFRETTE CARAMEL

Qui s'intéresse encore à ces stupides photos scolaires ?

Dessins de gâteaux

Gros sablé

GAUFRETTE CARAMEL

GAUFRETTE CARAMEL

MEILLEUR BISCUIT ARGH!

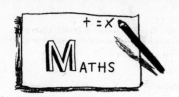

MATHS

M. Fullerman nous distribue nos fiches
d'exercices de maths.

Je me force à prendre un air fasciné et
intéressé par ses opérations.

Alors qu'en fait, je ne cesse de revivre
intérieurement l'humiliation de ma photo
scolaire.

HORRIBLE
photo
scolaire

Je voudrais que les cours se terminent
tout de suite. Alors, pour me remonter le moral,
je dessine des logos et des idées pour le groupe.

Je prends garde de faire aussi quelques additions pour donner l'impression que je « planche » sur mes exercices.

Un clebs qui serait un zombie

Lequel ?

$$\begin{array}{r} +\ 24 \\ 32 \\ \hline 56 \end{array}$$

CLEBS ZOMBIES

CLEBS ZOMBIES

Clebs Zombies

$$\begin{array}{r} +\ 10 \\ 10 \\ \hline 20 \end{array}$$

Je suis un Génie !

Marcus tend le cou pour essayer de voir ⊙ ⊙
ce que je fabrique par-dessus mon épaule.

CASSE-TOI,
MARCUS...

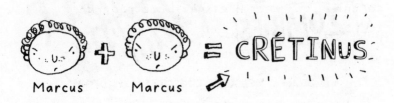

Marcus   Marcus   = CRÉTINUS

M. Fullerman me regarde, alors je mets le bras
par-dessus mes dessins et je fais encore quelques
opérations.

$$10 \times 10 = 100$$

← Futé

Marcus Zombie →

Mieux !

CLEBS ZOMBIES

Marcus se **PENCHE** en arrière sur sa chaise pour essayer de regarder par-dessus mon bras. J'ai l'impression qu'il arrive à voir mes dessins, alors je lui tourne le dos. Du coup, il se penche *EN AVANT*, et moi, je me **REDRESSE**. Mais alors, il met carrément la tête sur sa table, comme s'il essayait de regarder par-dessous mon bras. Ha !

– Marcus... cesse de chercher à regarder le travail de Tom et concentre-toi sur ta feuille !

Oui, Marcus. On ne triche **PAS**. Bien fait.

Pendant que Marcus monopolise l'attention, j'en profite pour glisser un œil ◯ ◯ vers la copie d'Amy et retenir quelques résultats. (Au moins, comme ça, je suis sûr d'avoir quelques opérations justes.)

Et puis je continue mes dessins.
(Je les montrerai à Derek tout à l'heure.)
Ce cours de maths n'est pas mal du tout, en fin de compte.

BIEN JOUÉ ! ☺

M. **F**ana, le directeur, aime bien faire un "SAUT" dans les classes pour voir où on en est.

$\mathbb{A}$ujourd'hui, il a décidé de passer dans **NOTRE** classe. Heureusement, j'ai quelques opérations impressionnantes sur ma feuille. (Principalement grâce à Amy.)

 – Bonjour, les enfants.
– Bonjour, monsieur Fana.

Il se lance alors dans une « conversation » version directeur d'école.

Pendant qu'il discute, j'en profite pour livrer certains $\boxed{\text{DÉTAILS}}$ intéressants concernant $\mathbb{M}$. $\mathbb{F}$ana.

Tourner la page

1. Il a la figure très ROUGE, et encore plus rouge lorsqu'il est en colère.

2. M. Fana se met très facilement en colère.

Voici un ROUGE-O-MÈTRE qui indique clairement les différents stades de rougeur par lesquels passe sa figure.

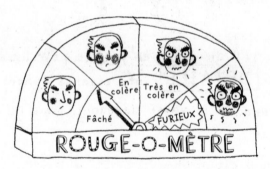

3. Les sourcils de M. Fana ressemblent à deux chenilles POILUES qui rampent au-dessus de ses yeux.

M. Fana parle toujours, et mon ventre commence
à gargouiller vraiment FORT (c'est bientôt
l'heure du déjeuner). J'espère qu'il va comprendre
l'allusion et s'arrêter de parler. Mais non,
il continue.

Mon ventre se remet à gargouiller et je
fais comme si ce n'était pas moi en regardant
fixement Marcus.

Ça sonne pour la pause déjeuner, mais M. Fana
s'éternise.

Et enfin il dit :
**– Je vais vous laisser aller manger,
maintenant.**

(PAS TROP TÔT.)

Il y a un truc pour arriver le premier à la cantine sans avoir l'air de **POUSSER** les autres pour passer. Il suffit de marcher très vite.

 Marcher très vite

J'attrape ma boîte à déjeuner et j'essaye de ne pas respirer l'odeur des

OCNI

(**O**bjets **C**omestibles **N**on **I**dentifiés) qu'on sert à la cantine.

Le lundi, le mardi et le mercredi, j'apporte mon déjeuner. Le jeudi et le vendredi, je mange les repas préparés par la cantine.

C'est parce que, le jeudi, **AMY PORTER** déjeune à la cantine, et le Vendredi, il y a des FRITES.

Derek est déjà à table en train de manger. Je m'assois à côté de lui, et puis Norman Watson vient se mettre à côté de moi. J'ouvre ma boîte à déjeuner, et là, je trouve un mot de Mamie Mavis.

Bon appétit
Mamie
Mavis

BOUFFE TOM

(OH NON ! J'ai oublié que
ma grand-mère adore donner un coup de main
pour préparer mon déjeuner,
quand elle passe à la maison.
Et je n'étais pas là
pour l'en empêcher.)

La!
La!
La!

Pourvu qu'elle ne m'ait pas cuisiné
quelque chose de bizarre.

Je coule un œil ⊙ ⊙ dans ma boîte et
je distingue un truc qui ressemble un peu
à une pizza.
C'est une pizza.
(Jusque-là, tout va bien.)

Qui a la forme d'une tête...

C'est *ma* tête... aïe, aïe, aïe.

 **Sur** la pizza, il y a

du fromage (OK)

des tomates (OK)

des olives (BEURK).

Et un autre truc que, personnellement, je ne mettrais **JAMAIS** de toute ma vie sur une pizza... vraiment jamais...

La! La! La!

(Mais à Quoi pensait-elle ?)

UNE BANANE !

Il y a une |banane| sur ma pizza.
Je la retire vite fait avant que quelqu'un
la remarque et me trouve bizarre.
Trop tard.
Amy et Florence passent devant moi et
prennent toutes les deux une expression
dégoûtée en allant s'asseoir à une autre table.
À ce moment-là, Norman Watson me donne
un coup de coude et demande :

- C'est une banane, sur ta pizza ?
- Peut-être bien, je réponds.

- # MIAM ! Je la prends si t'en

veux pas.

Je file ma banane à Norman et ne pose pas
de question. Derek me glisse :
- C'est dégoûtant.
Mais Norman a l'air content, alors je ne dis
rien et je mange quand même le reste de
la pizza. (Il y a des endroits où ça a encore
un peu le goût de banane.)
Ma grand-mère m'a encore réservé quelques
surprises qui attendent au fond de ma boîte :

Une canette de jus de concombre.

Des biscuits à la pomme de terre
et à la lavande.

Et un citron.   (Pourquoi ?)

Derek a des trucs plus normaux à manger, et il les partage avec moi. (C'est pour ça que c'est mon meilleur pote.)

meilleur pote

On est sur le point de sortir en récré quand Mme Marmone (c'est son vrai nom) fait une annonce dans les haut-parleurs. Personne ne comprend jamais ce qu'elle dit, alors on tend l'oreille.

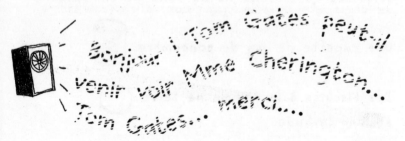

Bonjour ! Tom Gates peut-il venir voir Mme Cherington... Tom Gates... merci...

Je crois bien qu'elle a dit que Tom Gates
devait aller voir Mme Cherington... Zut !
J'ai oublié ma retenue.

OH NON !
Je dois aider Mme Cherington à accrocher
nos portraits sur les murs de l'école.
(Sauf celui que j'ai fait d'elle, évidemment.)

Pendant qu'elle ne regarde pas, je rajoute
un ou deux détails sur celui de Marcus.

Je crois que ça l'améliore considérablement.

Ross White

Paul Joyeux

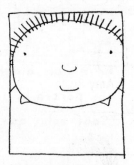

Salomon Stewart

Julia Morton

Norman Watson

Fleur Bennet

Mark Clump

Ambre Tulley Green

Amy Porter

Trevor Peters

Brad Galloway

Leroy Lewis

Tom Gates

Florence Mitchell

Indrani Hindle

Marcus Meldrou

OH NON ! M. Fullerman

a regardé dans mon cahier.

Tom

Je suis sûr que CLEBSZOMBIES est un groupe formidable. Mais tu dois à l'avenir te concentrer sur tes MATHS. (Au fait, je préfère ce logo-ci.)

M. Fullerman

Comme je ne peux pas me permettre de me faire encore remarquer, je me concentre de toutes mes forces sur le cours. Il faut absolument que papa me paye une place pour le concert de **RODEO 3**.

Même si je sais que mes parents vont prendre ça comme prétexte pour m'obliger à faire tout ce que je déteste. Par exemple :

- Mange tes légumes... si tu veux aller voir .

- Range ta chambre... si tu veux aller voir

- Laisse ta sœur passer en premier dans la salle de bains... si tu veux aller voir **RODEO 3**.

Je les entends déjà.

Ça ne va pas être facile.

J'essaye de me tenir ultra bien pendant tout le cours de M. Fullerman.

Je me propose même pour distribuer les formulaires de sortie scolaire.

Marcus essaye de me prendre le sien aussi sec.

Je lui dis que ÇA NE SE FAIT PAS et je lui donne sa fiche en dernier. Mais, pour m'amuser, je la tiens juste hors de sa portée et il la rate plusieurs fois, jusqu'à ce que M. Fullerman me jette un regard TERRIBLE.

REGARD du prof

La sortie a l'air plutôt tentante.

Sortie de la classe au musée.
Visite du département **momies égyptiennes.**

Chers parents / tuteurs

Ce trimestre, nous allons étudier les Égyptiens et aimerions intégrer à
notre projet pédagogique une visite au musée.

Cette sortie prendra toute la journée, et les enfants auront besoin
d'emporter un pique-nique. Le trajet s'effectuera en car et nous
aurons besoin d'accompagnateurs.

Veuillez remplir le formulaire ci-dessous pour autoriser
votre enfant à participer à la sortie.

Tous mes remerciements,

M. Fullerman

À détacher et retourner le plus rapidement possible à l'établissement.

Nom de l'enfant : **Tom GATES**

J'autorise mon enfant à se rendre au musée
(OUI) / NON ☺

Signature *Rita Gates*   En toutes lettres : Rita Gates
(Superbe)

Votre enfant est-il sujet à des allergies ? Oui
Si oui, lesquelles ?   Ne surtout pas donner de légumes à Tom.
Suit-il un traitement ? Si oui, lequel ? Oui, des bonbons pour la toux.
    Sinon, n'importe quels bonbons devraient faire l'affaire.

Pourrez-vous accompagner la classe pour cette sortie ? NON
    NON NON
personne à appeler : 〰〰〰〰
numéro à appeler : 〰〰〰〰

(Fini.)

Aujourd'hui, M. Fullerman nous demande de lire nos rédactions sur nos vacances devant la classe. Ça me fait plaisir, parce que j'ai obtenu CINQ bons points à la mienne.

Ça sera l'occasion de me faire bien voir d'Amy, j'espère.

C'est Norman Watson qui lit la sienne en premier.

Il est allé à DISNEYLAND.
Il a TROP de chance ! (Mais il n'a pas eu cinq bons points comme moi. Ha !)

Marcus Meldrou a passé presque TOUTES SES VACANCES en colo. Je me dis qu'il doit taper sur les nerfs de ses parents autant que sur les miens. (Je l'enverrais bien en colo toute l'année si je pouvais.)

Julia Morton, qui raconte qu'elle a trouvé
un coquillage très intéressant,
n'est pas intéressante du tout.

Ça commence à devenir carrément ennuyeux
quand Mark Clump se lève pour lire « MON
NOUVEAU SERPENT APPRIVOISÉ », et
là, ça capte mon attention.

Il nous parle des souris qu'il garde dans son
congélateur pour nourrir son serpent.

Il raconte comment il l'a acheté, où il vit et
comment il s'appelle (Serpy... Mark
ne s'est pas foulé). Ça, c'est
une super histoire de vacances.

Et le MIEUX de tout, c'est quand il se baisse
et sort de sa case...

SON SERPENT APPRIVOISÉ !

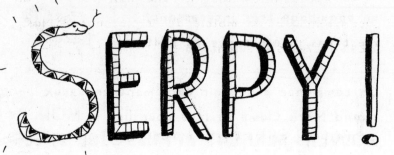

SERPY !

Je vous présente Serpy !

Serpy !

C'est géant. Mais M. Fullerman n'a pas l'air convaincu. Et la moitié de la classe non plus. Les élèves s'enfuient en HURLANT.

Le prof oblige Mark à ranger son serpent. L'école appelle sa mère, qui vient les chercher tous les deux. C'est dommage, parce que j'adore les serpents et que je n'ai pas eu le temps de bien le regarder.

À la fin de la classe, on nous distribue un mot à remettre à nos parents.

Chers parents / tuteurs

Nous voudrions rappeler à tous les élèves et à leurs parents qu'on ne peut apporter AUCUN ANIMAL quel qu'il soit à l'école.

Les animaux ne sont pas faits pour la classe et doivent rester à la maison. Surtout ceux qui peuvent faire peur (comme les serpents).

Merci

M. Fana

Directeur

En parlant d'animaux, Derek vient d'avoir

un chien. Je meurs d'impatience ! Délia est
allergique aux chiens et je n'ai pas le droit
d'en avoir un. Mais Derek pourra amener le sien
AUTANT qu'il voudra parce que :

1. J'adore les chiens.

2. Délia sera forcée de rester dans
sa chambre ou de sortir. En tout cas,
je ne l'aurai pas dans les pattes.

Parfait !!

Chien de Derek.

Derek m'envoie une photo de son chien...

Ce week-end, toute la famille va déjeuner chez **LES FOSSILES**

Maman panique pour la bouffe, surtout depuis que je lui ai parlé de ma pizza à la banane.

Papa panique parce que son frère (mon oncle Kevin) et sa famille seront là. Oncle Kevin a toujours l'air de savoir tout un tas de choses. Papa assure que c'est parce que son frère est un « Monsieur Je-sais-tout ».

Tante Alice rit toujours aux blagues d'oncle Kevin, même quand elles ne sont pas drôles (c'est-à-dire la plupart du temps).

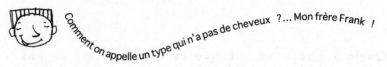

Comment on appelle un type qui n'a pas de cheveux ?... Mon frère Frank !

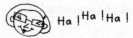

Ha ! Ha ! Ha !

Délia ne veut pas y aller, et elle est de mauvaise humeur. Je répète :

– Délia a un copain, Délia a un copain...

Et ça la met carrément **HORS D'ELLE.**

Mais les parents veulent qu'elle vienne.

Quelque chose me dit que ce déjeuner ne va pas être très marrant.

HEUREUSEMENT, les Fossiles sont de TRÈS bonne humeur et contents de voir tout le monde. Ça aide.

Yo! Les mouflets !

Salut !

Mes cousins jumeaux sont là (et ils mangent déjà... Ils passent leur temps à se goinfrer). Ils sont encore plus grands que Balèze. Je leur dis BONJOUR, mais ils ne répondent pas. Ils se contentent d'un petit salut de la main.

Maman demande ce qu'on va manger. On est tous un peu nerveux.

Mamie annonce qu'on va avoir :

Du poulet farci au fromage.

Des œufs rôtis. (???)

Des petits pois en brochette.

Je souhaite sincèrement que ce sera meilleur que ça en a l'air.

On est tous à table quand oncle Kevin demande à papa s'il a encore perdu des cheveux. Tante Alice éclate de rire.

Ha !
Ha !

Papa ne trouve visiblement pas ça drôle.

Mamie arrive et demande :

- TOUT VA BIEN ?

- OUI ! répond tout le monde.

– Délicieux ! Mmmmm !

Et plein de trucs gentils du même genre. Mais en fait, personne ne mange grand-chose à part les cousins. Et Délia tape en douce des textos sous la table.

Oncle Kevin se met à raconter leurs « trois semaines de vacances MAGIQUES en Grèce ».

Alors je raconte nos deux jours de camping épouvantables : la pluie ; la tente emportée par la flotte parce que papa a eu l'idée STUPIDE de la planter contre le ruisseau, et ma chute de l'arbre... Tante Alice et oncle Kevin se tordent de rire.

Mes parents, eux, me FOUDROIENT du regard comme pour me faire taire.

Papy change de sujet et m'interroge sur mon groupe de rock.

Alors je lui parle des **CLEBSZOMBIES**, et puis je dis à tout le monde que **RODEO 3** passe en ville.

– Et **PAPA** est **TELLEMENT** super qu'il a promis de m'emmener les voir.
(Papa paraît un peu surpris, mais il ne dit pas non.)

Je suis un génie.

SUPER PAPA

En fait, les cousins sont eux aussi des méga fans de **RODEO 3**. Je ne les ai jamais vus aussi excités, à part la fois où ils ont gagné une fontaine à chocolat à la fête de leur école.

Hourrah ! OUAIS !

Oncle Kevin propose qu'on y aille tous ensemble, pour faire une « grande sortie en famille ». Moi, je me fiche de qui vient pourvu que je ne me retrouve pas tout seul avec Délia. Alors je dis que c'est GÉNIAL. Mais papa n'a pas l'air ravi du tout. Surtout quand oncle Kevin commence à parler des goûts musicaux épouvantables de papa quand ils étaient ados.

Papa est sur le point de dire quelque chose à son frère quand Mamie débarque dans la salle à manger avec...

- LE DEsSERT !

Elle doit expliquer ce que c'est, parce que personne n'arrive à deviner.
– En fait, c'est une ÉNORME pile de crêpes rose vif pas si mauvaises que ça, mais qui ressemblent terriblement à des tranches de foie cru.

En rentrant à la maison, on s'arrête prendre un steak-frites parce que tout le monde a encore faim.

Les parents ne sont pas de super humeur. Délia n'a pas le moral (mais c'est comme d'habitude).

Alors que moi, je suis TRÈS content, parce que :

    1. Maintenant, je suis sûr d'aller voir **RODEO 3** en concert.

    2. Mamie m'a filé des bonbecs et un petit billet quand on sortait.

BIEN JOUÉ ! Je suis trop pressé de le dire à Derek.

Tout ce qui me reste à faire, c'est d'inviter **Amy** à venir au concert avec moi.

Aujourd'hui, je ne suis qu'un tout petit peu en retard en classe. Ça m'a pris plus de temps que d'habitude de cacher les lunettes de Délia. J'ai fini par trouver que c'était une idée géniale de les mettre dans le sac à salade entamé. Délia n'aurait JAMAIS remis la main dessus si maman n'avait pas fait des sandwichs.

Je suis parti avant que maman ou Délia puissent me crier dessus.

Je me glisse dans la classe juste à temps pour l'appel.

M. Fullerman lève les yeux du cahier d'appel et me demande pourquoi je suis en retard. Je fais ce que n'importe qui ferait dans la même situation. J'accuse ma grande sœur de m'avoir enfermé dans la salle de bains.

M. Fullerman note mon excuse dans le cahier puis passe au suivant.

OUF !

AMY PORTER ne s'intéresse pas le moins du monde à mes excuses parce qu'elle est trop occupée à réviser son

ORTHOGRAPHE !

(OH, NON ! PAS la dictée de mots.)

La journée commence <u>mal</u>. Je panique et me demande comment je vais pouvoir me sortir de ça quand il se passe un truc génial.

Je lève les yeux sur le bureau de M. Fullerman et je crois voir la liste des mots qu'il va nous faire écrire. La feuille est à l'envers, mais j'arrive à les reconstituer et à les copier vite fait sans que personne le voie.

Comme ça.

(La dictée va être super fastoche maintenant !)

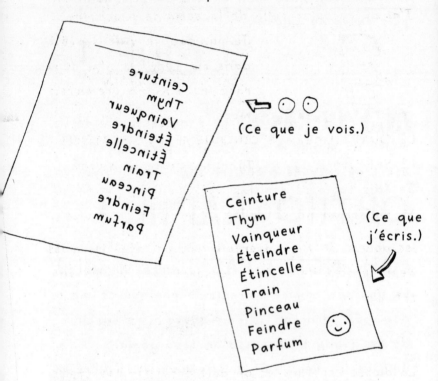

Ceinture
Thym
Vainqueur
Éteindre
Étincelle
Train
Pinceau
Feindre
Parfum

(Ce que je vois.)

Ceinture
Thym
Vainqueur
Éteindre
Étincelle
Train
Pinceau
Feindre
Parfum

(Ce que j'écris.)

Mo Fullerman commence la dictée. Je fais semblant de réfléchir et me mets à écrire. Et je me rends compte très vite qu'il y a un GROS problème.

Cette liste n'est pas la même que celle du prof.
J'ai dû recopier celle de la semaine prochaine.

 Je panique, le vide se fait dans ma tête, et j'ai déjà raté les **TROIS** premiers mots.

LE QUATRIÈME... LE CINQUIÈME... LE SIXIÈME,
LE SEPTIÈME, LE HUITIÈME... toute la dictée.
Je fais toujours semblant d'écrire pour que
M. Fullerman ne se doute de rien et je croise
les doigts. **S'IL** s'aperçoit que j'ai déjà les mots
de la prochaine dictée, je serai fait comme un
rat !

tricheur !

La dictée est finie et on doit échanger nos copies
avec notre voisin pour la correction. Marcus me
tend sa feuille.
Oh là là, je suis dans le pétrin...
Il faut que je trouve quelque chose, et vite...

dictée de mots

ARGH !

La catastrophe a pris la forme
d'un stylo qui fuit.

Le prof me prie de nettoyer l'encre
« accidentellement » répandue. OUPS !

Puis je corrige la copie de Marcus.
Il est sûr d'avoir tout bon et il la ramène un max.

Marcus Meldrou

1. Prunox   ☹ ✗
2. Manteau   ✓
3. Agnau   ☹ ✗
4. Noyeau   ✗
5. Héros   ✓
6. Tuillau   ✗
7. Judo   ✓
8. Jummeau   ✗ $\frac{3}{8}$

Seulement 3/8 pour Marcus.
Il la ramène nettement moins.

Amy a 8/8 (c'est une tête).

- **OUAH !** Bravo, Amy ! je m'exclame (ça fait bisquer Marcus). Tu es DRÔLEMENT forte en dictée, dis donc.
- Merci, me répond Amy. Mais je ne dessine pas aussi bien que toi.
(Elle m'a vraiment dit quelque chose de gentil !)

Alors, pendant que la classe finit de corriger la dictée, je montre mes derniers dessins pour les **CLEBSZOMBIES** et lui demande de choisir le meilleur. (Elle choisit le même que le prof.)

C'est la plus longue conversation que j'ai jamais eue avec Amy. Je lui parle de **RODEO 3** et de leur prochain concert chez nous.

Et il se trouve qu'elle est une fan elle aussi. C'est CARREMENT GÉNIAL !

Je cherche comment je pourrais l'inviter au concert, quand elle me confie qu'elle adore chanter.
- Moi aussi, j'adore chanter, je lui dis.
- C'est vrai ? réplique-t-elle, et moi, je réponds :
- Oh OUI, je pourrais chanter toute la journée.
Alors, elle me suggère de m'inscrire à la chorale de l'école (comme elle), et je m'entends dire :
- C'est une **super** idée ! J'adorerais faire partie de la chorale.

(POURQUOI ? POURQUOI ? POURQUOI j'ai dit un truc pareil ?)

C'est exactement la question que me pose Derek quand je lui annonce :

- Je vais aller à la chorale. Ce sera une bonne chose pour ma voix et pour le groupe.

- Tu crois ? (Derek n'est pas convaincu.)

Derek

(Non, je ne crois pas. Mais j'espère qu'Amy viendra au concert de **RODEO 3** et je ne peux pas le dire à Derek.)

Je passe devant une affiche de la chorale sur le panneau de l'école, et je n'arrive pas à y croire : les répétitions ont lieu à L'HEURE DU DÉJEUNER ! Ça ne me fera même pas rater de cours.
Je vais peut-être y aller une ou deux fois, pour faire plaisir à Amy, et puis je laisserai tomber.

Bon plan.

Rassemblement Général

Aujourd'hui, on a un grand rassemblement.

Je n'arrive pas à croire que **MARCUS** va recevoir un prix pour son devoir sur les vacances ! C'est très injuste puisque j'ai eu 5 bons points, moi aussi.

M. Fana, le directeur, remettra les prix devant toute l'école.

Ça va me rendre malade de voir Marcus frimer. Et le pire, c'est que M. Fullerman lui demande de porter le cahier d'appel dans le bureau du directeur. Marcus va se croire mieux que les autres, maintenant.

(Pendant qu'il est sorti, j'en profite pour ajouter mes commentaires sur son travail.)

Frimeur

M₀Fana se tient devant toute l'école.
Il nous dit le genre de trucs que disent
toujours les directeurs.

**– Beaucoup de travail... J'attends
avec impatience...**

Bla bla bla

Je suis assis derrière BALÈZE
et je ne vois pas vraiment ce qui se
passe.

139

Mme Somme fait alors chanter tout le monde dans une interprétation de

« Laissons entrer le Soleil ».

C'est encore une de ces profs très enthousiastes, qui se *BALANCE* beaucoup d'un côté puis de l'autre en chantant d'une voix très aiguë

Laissons, laissons, entrer LE SOLEIL !

F leur B ennet (faut pas enquiquiner Fleur, c'est une coriace) et, bien sûr, Marcus reçoivent tous les deux un prix.

B rad G alloway (qui a une super coupe de cheveux) est à côté de moi. Je lui conseille de garder l'œil sur Marcus.

– CHUUUUUT.

M. Fullerman me transperce avec ses yeux de lynx.

YEUX DE LYNX

M. F ana annonce :

– Aujourd'hui, nous avons des récompenses très importantes à distribuer. Jade Alexander et Grace Cole, voudriez-vous venir chercher votre prix d'excellence pour votre exposé conjoint en sciences de la vie et de la Terre ?

On applaudit tous pendant que les filles montrent leur affiche impressionnante.

- Fleur Bennet et Marcus Meldrou, veuillez me rejoindre avec vos excellentes rédactions sur vos vacances.

Fleur brandit son cahier. L'écriture est jolie et il y a aussi de chouettes dessins dedans. Tout le monde applaudit, et elle prend sa récompense. C'est ensuite au tour de Marcus de brandir son cahier. Il le présente bien pour que toute l'école puisse voir ce qui est écrit dedans.

Tout le monde éclate de rire et on ne peut plus s'arrêter.

(Comme j'apprécie cet instant !)

Marcus prend sa récompense et retourne vite s'asseoir. Il se demande encore ce qui a pu faire rire toute la salle.

Je voudrais que ces réunions soient toujours aussi marrantes. Pendant un moment, j'oublie même que j'ai promis d'entrer dans la chorale. Ce n'est qu'après la réunion, en passant devant l'affiche de la chorale, que tout me revient...

Grrrrrrr.

Et maintenant, M. Fullerman n'est pas de bonne humeur non plus. (Il se doute que j'ai quelque chose à voir avec les « ajouts » sur le cahier de Marcus.)

Il me rappelle que je dois lui rendre ma critique et nous parle du spectacle de l'école (apparemment, la chorale chantera).

Et, comme si ça ne suffisait pas, il nous donne un mot pour la soirée de rencontre parents-profs.

Comment je vais faire pour trouver le temps de répéter avec Derek, moi, avec tout ça ?

Je réussis à tenir jusqu'à la fin du cours en me concentrant de TOUTES mes forces sur deux choses :

1. Ce que je vais manger à déjeuner.

2. La petite mouche noire qui essaie d'atterrir sur le crâne rond de M. Fullerman.

et patati
et patata...

Ça prend du temps, mais la mouche arrive enfin à se poser, et le prof dit :

– Je suis content de voir que tu m'écoutes avec autant d'attention, Tom.

Ça me fait rire. Et puis Amy me glisse qu'il y a chorale à l'heure du déjeuner.
- Super, je dis. J'ai hâte d'y être.

(Grrrrrrrr.)

Mme Somme souhaite la bienvenue aux nouveaux visages (moi). Je ne savais pas que BALÈZE chantait à la chorale (il s'est bien gardé d'en parler) et, oh NON !... Marcus est là aussi - super, je n'arrive pas à m'en débarrasser.

Amy a l'air contente de me voir. C'est déjà ça.

Mme Somme me place juste à côté de Marcus.

Elle commence par nous faire faire des exercices ridicules pour nous chauffer la voix. On fait des tas de grimaces débiles et on produit des bruits bizarres. Ensuite, on apprend les chansons du concert, et ça, curieusement, c'est assez cool. Je commence *presque* à m'amuser.

Mme Somme nous demande de nous balancer d'un côté puis de l'autre pendant qu'on chante.

On est censés se balancer tous en même temps dans le même sens. Mais (comme par hasard) Marcus n'arrête pas de me rentrer dedans. Du coup, je LUI rentre dedans aussi.

Mais il *remet ça* et il me marche sur le pied. Alors je le pousse un peu FORT (comme ça il dégage de mon pied).

Ensuite, il RECOMMENCE à me *rentrer* dedans, alors, je fais pareil, mais un tout petit peu trop FORT. Et Marcus part valdinguer par terre (comme s'il avait été renversé par un éléphant !).

E‍t le voilà qui pleurniche par terre en criant :

– Tom M'A POUSSÉ.
TOM M'A POUSSÉ !

(Quelle plaie !)

Mme Somme aide Marcus à se relever avant de me renvoyer en disant :

– Ça ne se fait pas, **Tom**. Peut-être que la chorale ne te convient pas, en fin de compte.

Et moi qui croyais SI BIEN me débrouiller.

Je dessine un portrait de Marcus qui m'aide à me sentir mieux.

Marcus est un crapaud baveux

COA ! COA !

HISTOIRE

En classe, Marcus s'assoit aussi loin de moi que possible. (Et c'est tant mieux.)

- Marcus est un idiot, me dit Amy.
Elle l'a vu me pousser et me marcher sur le pied.
(Peut-être que ça valait quand même le coup d'aller à la chorale ?)
Je profite de ce qu'Amy me plaigne un petit peu pour lui parler de **RODEO 3**. (Je me souviens qu'elle est fan, elle aussi.)

- Est-ce que tu vas à leur concert ? je demande.

— JE VOUDRAIS BIEN ! répond-elle.
Mais je n'ai pas de billet. C'est alors que Marcus (qui ne peut pas s'en empêcher vu que c'est un crétin de première) se vante :

- Moi, j'ai des billets **V.I.P.**

Son père connaît quelqu'un qui connaît quelqu'un qui connaît quelqu'un qui leur a filé des billets... je bâille.

Je lui dis que **V.I.P.**, ça veut dire

Vaniteux, Imbécile et Pathétique.

Et il me croit. Ha ! Ha !

Et puis j'invite Amy à venir au concert avec Derek, mon père et moi.
(Je ne parle pas d'oncle Kevin, de tante Alice et des cousins.) Elle répond **OUI** et se replonge dans sa lecture.

– **GÉNIAL**, je réplique, et voilà.
C'est réglé.

On va tous voir mon groupe préféré en concert.
C'était pas difficile. Et puis, bêtement, j'arrête
d'écouter la leçon d'histoire et je m'imagine au
concert (ce qui est beaucoup plus cool).

RODEO 3 est carrément géant, et le groupe
joue ses plus grands tubes. Soudain, au milieu
d'un solo de guitare,

Le guitariste tombe, comme foudroyé, et doit
quitter la scène sur un brancard.

Le chanteur demande à la foule :
- Y a-t-il quelqu'un parmi vous qui sache
jouer les morceaux de **RODEO 3** ?

- MOI ! je crie avant de bondir sur la scène.
Amy applaudit. Derek applaudit. Je me mets
à jouer, et la foule n'en revient pas. Tous
commencent à scander mon nom.

TOM ! **TOM !**

TOM !

TOM !

TOM !

M. Fullerman m'appelle. (J'ai raté presque toute la leçon d'histoire.)

Mais ça valait le coup.

Je me rattraperai ce soir, et je vais rentrer dans les bonnes grâces du prof en n'étant pas en retard pour la sortie de demain.

Que j'attends vraiment avec impatience.

 Sortie Scolaire

M. Fullerman n'est pas content parce que je suis encore EN RETARD. C'est la faute de Délia (enfin, c'est ce que je dis au prof).

Tout le monde est déjà dans le car, super excité.

Surtout Norman Watson, qui n'arrête pas de sauter sur son siège.

Une fois dans le car, je ne trouve qu'une seule place de libre, à côté de...

NON, pas **M**me Chering « stache ».

Place libre

Bonjour, Tom!

En fait, Derek m'a gardé une place à côté de lui, mais il trouve ça marrant de me regarder paniquer.

- T'aurais dû voir ta tête ! dit-il en se tordant.
- Ha ! Ha ! Très drôle, je réplique.

Le trajet en car dure **DES PLOMBES,** juste parce qu'il y en a plein qui veulent aller aux toilettes et que **Julia Morton** a le mal des transports (elle est carrément verdâtre). Alors on s'arrête tout le temps. On finit quand même par arriver au musée.

C'est **GIGANTESQUE,** avec des marches en pierre, de grandes portes en bois et des colonnes énormes. Il y a plein d'autres écoles qui viennent visiter (et qui se conduisent toutes mieux que nous).

Comme il y a trois profs, on nous sépare en trois groupes (nous, on se retrouve avec Mme Somme).

Chaque élève reçoit un questionnaire à remplir sur les ÉGYPTIENS. Je suis avec Derek et Amy, et on court dans les salles en recopiant principalement les réponses d'Amy. On ne met pas longtemps à répondre à toutes les questions. Du coup, on se dépêche d'aller jeter un coup d'œil sur la boutique du musée.

Je sais exactement ce que je veux acheter.

Pendant le pique-nique, QUELQU'UN (bon, moi) donne à Norman la moitié d'une gaufrette au caramel. (J'oublie que le sucre l'excite encore plus que d'habitude.)

On s'est tous assis pour écouter la Conférencière du Musée sur l'Égypte. Elle nous montre une vraie momie et nous raconte avec plein de détails **HORRIBLES** que

« Avant de procéder à la momification, les Égyptiens se servaient d'un long crochet pour retirer le cerveau des morts par le nez... »

Julia Morton verdit à nouveau et a envie de vomir.

Norman ne tient pas en place et veut s'approcher de la momie.

Il se RELÈVE un peu trop précipitamment et

bouscule Brad Galloway, qui rentre dans Leroy, lequel s'écroule sur BALÈZE, qui pousse accidentellement Mme Cherington.
Elle tombe et heurte un vase égyptien très rare...

... que M. Fullerman parvient heureusement

À RATTRAPER !

Il le tient serré contre lui et pousse un soupir de soulagement. À cet instant, Julia Morton se penche en avant et vomit.

(Je ne crois pas que ces vases égyptiens étaient prévus pour ça.)

La conférencière se débarrasse de nous vite fait. Pendant que les profs « nettoient » Julia, on retourne tous à la boutique du musée. J'achète des super tatouages égyptiens.

Pendant le voyage du retour, le car est beaucoup plus calme parce que certains se sont endormis. Dont Marcus, et ça m'arrange tout particulièrement, pour plusieurs raisons :

1. Je n'ai ni à l'écouter ni à lui parler (c'est un enquiquineur).

2. Je lui en veux encore de m'avoir fait virer de la chorale.

3. Ça me donne l'occasion d'essayer mes « tatouages égyptiens » tout neufs.

Ça marche à merveille !

Je dessine
encore un peu,
et ça me fait
PENSER
à des trucs
INTÉRESSANTS...

Biscuits
Fourrés

Règles :

Voici quelques règles qui s'appuient sur des faits qui me sont arrivés (donc tout est vrai).

RÈGLE N°1

Les photos scolaires sont toujours **ÉPOUVANTABLES**. Je crois que c'est une loi incontournable. Même si c'était un photographe génial qui prenait ces photos, ça serait **TOUJOURS** de la daube.

ÉPOUVANTABLE
photo scolaire

RÈGLE N°2

Votre fratrie (dans mon cas, Délia) sait vous pourrir la vie comme personne.

RÈGLE N°3

Plus vos parents vieillissent, **PLUS** ils vous font honte.

Mon père est maintenant officiellement

le CHAMPION DU MONDE des pères qui filent la honte.

Quand on est rentrés de la sortie scolaire, mon père m'attendait à la descente du car.

Il portait :

Un bonnet d'une couleur horrible avec son nom marqué dessus.

Un jean boueux retenu par un bout de ficelle.

Pas une ceinture,

NON, de la ficelle.

Une chemise toute pourrie, rapiécée et pleine de trous.

Et de vieilles bottes de caoutchouc dégoûtantes.

Triste bonnet

TOM!

(La Honte)

FICELLE

Boue

PIÈCES

Boue

BOUE

- Je jardinais, a-t-il expliqué.
(Comme si c'était une excuse !)
La prochaine fois, ne compte pas sur moi pour
venir te chercher.
(Si seulement ça pouvait être vrai.)

Brad Galloway et Mark Clump l'ont tous les deux
pris pour un clochard.

Ha! Ha! Ha! Ha! Ha!

— Vise-moi ce clodo là-bas, ont-ils dit en se marrant.

— Imagine que ce soit | TON PÈRE | ! s'est moqué Brad.

— | C'est | mon père, j'ai répliqué.
J'étais très pressé de rentrer chez moi.

Je n'ai pardonné à papa que quand il a sorti de sa poche quatre billets (un peu boueux) pour le concert de **RODEO 3**.

GÉNIAL !

(C'EST POUR ÇA qu'il m'attendait à la sortie du car.)

Maintenant, je suis officiellement excité et très heureux. ☺

À la maison, Délia gâche tout en brandissant ma photo scolaire et en se fichant de moi.

– C'est une photo de **MONSTRE** ou quoi ?

C'est terrible, mais je suis d'accord. Cette photo est une épouvante, le portrait le plus pourri qui soit.

ÉPOUVANTABLE
photo scolaire

J'ai les cheveux tout bizarres et la figure carrément rouge. Je savais que ça serait moche, mais pas à ce point-là !

ARGHHH !

Je lui reprends la photo et j'essaye de la cacher avant que ma mère la voie. Mais Délia lance :

– TROP TARD, PAUVRE TYPE.

De toute évidence, maman adore, et elle en a
déjà commandé des milliers d'exemplaires pour
toute la famille...

GRRRRRRR

Photo
scolaire
de Tom

Je parle à Derek des billets pour le concert
de **RODEO 3**. Et lui me raconte qu'il a eu
son petit CHIEN !! Il va l'amener à la répète
de ce soir pour que je puisse le voir. (Et comme
Délia est allergique aux chiens, elle nous laissera
tranquilles.)

M. Fullerman a l'air de bonne humeur. (Même si j'arrive à l'école tout juste à l'heure... et que j'ai ENCORE oublié d'écrire ma critique.)

– Aujourd'hui, nous allons fabriquer des pyramides.

(Ça paraît plutôt tentant, pour une fois.)

Il nous répartit en groupes. Je suis avec Norman, Ambre, Fleur, Indrani et BALÈZE.
(Je dois changer de place.)
Balèze a une bonne idée pour faire la forme de notre maquette.
– Il faut que ce soit en forme de pyramide, non ?
C'EST UN GÉNIE CE MEC.

Indrani dessine un gabarit en carton et Ambre le découpe. Ensuite, on aide tous à le recouvrir de colle et de papier pour qu'il soit beau et solide.

On travaille tous ensemble avec beaucoup d'efficacité (ce qui n'est pas habituel pour notre classe). Notre pyramide commence assez vite à ressembler... à une pyramide.

M. Fullerman s'occupe du groupe de Mark Clump, qui ne se débrouille pas aussi bien que nous.

Et puis Norman commence à s'ennuyer.
(Il s'ennuie facilement.)

- On n'a qu'à faire une momie, propose-t-il.

SUPER IDÉE.

Norman va chercher six rouleaux de PQ dans
les toilettes et essaye « d'emballer » BALÈZE.
Mais il n'y a pas assez de papier pour le
recouvrir en entier (il est trop grand et trop
costaud). Alors on prend Norman à la place. Il
est plus petit, mais il remue beaucoup plus.

- Tiens-toi tranquille, Norman, je lui
ordonne.

Ce n'est pas facile de lui couvrir la tête et les jambes avec le PQ. Lorsqu'il est enfin momifié, Norman se met à marcher en tendant les bras devant lui (comme une vraie momie).

Et il fait des HOOOOOOOOOUUUUAAAAAHH HOOOOOOOOOUUUUAAAAAHH

C'est très réaliste. Il est fort.

Il fait peur à Ambre. **ARGH !**

M. Fullerman vient voir ce qu'on fabrique.

Mais **SOUDAIN,** M. Fana, le directeur, débarque dans la classe.

(Pour une de ses petites visites.)

Norman s'est caché derrière la porte. Il ne bouge pas.

M. Fana nous interroge sur la sortie et admire notre pyramide.

(OOOOOOOUUUUUUAAAHHH OOOOOUUUUUUUUUUUUAAAAAH)

– Qu'est-ce que c'est que ce gémissement étrange ?

La classe se met à rire.

(OOOOOOOUUUUUUAAAHHH OOOOOUUUUUUUUUUUUAAAAAH)

– Ça recommence.

Au moment où la figure de M. Fana arrive dans la zone « fâché » du **R**ouge-**O**-**M**ètre le directeur est appelé par **M**me **M**armone dans le

haut-parleur. Quand il referme la porte, tout le monde découvre Norman, qui pousse des

OOOOOOUUUUUUUAAAHHH OOOOUUUUUUUUUUUUAAAAAH

et fait semblant d'être une momie.

Y compris M. Fullerman.
Il n'est plus d'aussi bonne humeur, maintenant.

OOOOUUUUUUUUUUAAAAAH

OOOOUUUUUUUUUUAAAAAH

On ne s'est pas ennuyés à l'école,
aujourd'hui.

(Stan, le gardien, qui range les rouleaux de PQ →)

175

Je suis impatient de voir le CHIOT de Derek ! Il est super mignon (contrairement à Derek), même s'il y a une certaine ressemblance entre eux sur la photo qu'il m'a envoyée par mail.

On le laisse courir dans toute la maison... et dans la chambre de Délia. Là, il mâchonne quelques paires de lunettes de soleil et se vautre sur le lit.

BON CHIEN !

Délia est furieuse.

Mais elle ne peut pas s'approcher vu qu'elle est allergique aux chiens.

Derek et moi, on répète de nouveaux morceaux pour CLEBSZOMBIES (et le chien de Derek chante, pardon, *HURLE* avec nous),

OUUOUU !

quand mon père passe la tête par la porte.

Salut

Il veut savoir si on n'aurait pas besoin
d'un autre guitariste pour le groupe. (Non.)

Il dit toujours ce genre de trucs comme s'il
rigolait. Mais il y a des fois où j'ai l'impression
qu'il ne rigole pas tant que ça. Il parle du
concert de la semaine prochaine.

Apparemment, Délia ne viendra pas avec nous
parce qu'elle préfère y aller avec des « amis »
(je crois qu'elle a un copain, et c'est carrément
dégoûtant). Comme ça, au moins elle ne pourra
pas me gâcher mon plaisir comme elle fait
d'habitude.

Oncle Kevin, tante Alice et les jumeaux
nous retrouveront au concert. Je plains

Ne voit
rien

ceux qui se retrouveront derrière les
jumeaux. Ils ne verront rien. Avec
Derek, on se demande si on va mettre nos
T-shirts **RODEO 3**. (Faut que je vérifie ce
que mon père va se mettre, pour le cas où il me
filerait trop la honte. Ça ne va pas manquer.)

TOM...
Où est ton DEVOIR ?

M. Fullerman est de très MAUVAISE humeur,
aujourd'hui.
J'ai encore oublié d'apporter ma critique.
Si ça continue, je vais encore me taper une
retenue.
Il n'est pas content du tout.

En plus, c'est la réunion parents-profs, ce soir
(ÇA aussi, j'avais oublié).
Du coup, mes parents seront les DERNIERS à
voir M. Fullerman.

Tout ça parce que je n'ai pas pris le formulaire.
Comme ils sont les derniers, ça leur donnera
tout le temps d'examiner mon travail et de
« bavarder » avec tout le monde (les profs
et les autres parents – ça va être l'horreur).

M. Fullerman nous donne un nouveau sujet de rédaction.

SUJET

Aujourd'hui, j'aimerais que vous me parliez de vos **ACTIVITÉS PRÉFÉRÉES.**
Tout ce que vous faites en dehors de l'école.
Sport, musique, piscine, chant…
Collectionnez-vous les timbres ?
Aimez-vous dessiner ?
Pourquoi avez-vous commencé cette activité ?
Quelle importance a-t-elle pour vous ?
Cela nécessite-t-il un matériel spécial ?
Avez-vous remporté des prix ?
Recommanderiez-vous cette activité à d'autres ?
Écrivez au moins une grande page de copie,
je vous prie.

M. Fullerman

Mmmmm… mes activités ?

Mes activités préférées sont :

- 🙂 embêter Délia

- 🙂 faire partie d'un groupe de rock

- 🙂 et manger des gaufrettes au caramel.

Je pourrais écrire toute une copie sur ce que je fais pour embêter ma sœur, mais je ne suis pas sûr que ça corresponde aux attentes de M. Fullerman.

Qu'est-ce que je pourrais écrire ? Qu'est-ce que je pourrais écrire ??

JE SAIS – je vais m'inventer une activité plus intéressante. Quelque chose de rigolo ?

Bonne idée.

On a passé presque toute la journée à ranger
la classe et à trier nos cahiers pour la rencontre
parents-profs.

Marcus laisse les siens sur son bureau pour aller
aux toilettes.

(Grosse erreur !)

Je glisse quelques dessins que j'ai préparés
à l'avance entre certaines pages.
(Ça devrait rendre la soirée de ses parents
nettement plus passionnante.)

M. Fullerman est
L'HOMME COCHON

par Marcus

Mes parents
sont LOURDS

Ha
Ha
Ha!

Ha
Ha

M.
Fullerman est un
IDIOT

RENCONTRE PARENTS-PROFS

Papa et maman ne sont (comme prévu) pas ravis d'être les derniers parents à voir M. Fullerman.

Ça fait toujours bizarre de revenir à l'école le soir, surtout avec la classe toute propre et rangée (pas comme d'habitude). Le prof porte un costume, et il a l'air mal à l'aise. Papa a un T-shirt horrible, et je le supplie de garder sa veste.

LA HONTE

Maman insiste pour examiner TOUT ce qui est affiché sur les murs. Pire, elle n'arrête pas de parler à des profs que je n'ai pas ET à des parents dont je ne connais même pas les gosses.

SUPERBE travail !

C'est TELLEMENT gênant !

? Bonjour ?

Je repère BALÈZE, qui ne semble pas s'éclater non plus (mais il ressemble DRÔLEMENT à son PÈRE).

– La soirée des parents, ça craint, chuchote-t-il.

Je suis d'accord.

Et puis je vois Amy. Ses parents sont déjà avec M. Fullerman. Ils sont en train de rire et de sourire (ça veut dire qu'il n'y a pas de problème avec le travail d'Amy).

Papa dit qu'il a le billet d'Amy pour **RODEO 3** dans sa poche et qu'il peut le donner à

« ses vieux »

maintenant.

(Ses vieux ? Je t'en prie, ne dis pas « ses vieux » !)

On attend donc qu'ils aient terminé. Et puis papa se lance dans une conversation sur la **MUSIQUE** avec le père d'Amy, et on l'entend de **LOIN**.

Amy lève les yeux au ciel et me regarde.

– Désolé, je lui dis, et on doit tous les deux rester plantés là, à attendre que nos parents arrêtent de nous mettre la honte.

Ils parlent pendant des heures de tout un tas de stupidités.

Et, au bout du compte, papa oublie de leur donner le billet !

Enfin, quand le **prof** a vu tous les autres parents, c'est notre tour... aïe aïe aïe !

Il apporte un classeur plein de mots.

Mots de Tom

– Puis-je commencer avec tous les mots que Tom rapporte de la maison ? demande-t-il.

Les parents sont un peu interloqués.

Non, pas LES MOTS !!

(J'ai été percé à jour.)

Cher M. Fullerman

Le pauvre Tom est enrhumé
et ne peut pas faire
de sport en extérieur –
jamais.

Bien à vous,

Rita Gates

Cher M. Fullerman

Voudriez-vous,
je vous prie,
dispenser Tom de
dictée cette semaine.
Il a eu une semaine
difficile (problèmes
familiaux).

Merci,

Rita Gates

Cher M. Fullerman

Tom a dû aider
sa grand-mère malade
et il n'a pas pu faire
ses devoirs.

Toutes nos excuses,

Rita Gates

Cher M. Fullerman

Si Tom est en retard pour son devoir,
c'est parce que sa sœur a été odieuse
avec lui et ne l'a pas laissé utiliser
l'ordinateur. Nous l'avons réprimandée.

Merci,

Frank Gates

Cher M. Fullerman

Tom a aidé son grand-père malade
et n'a pas pu faire ses devoirs.

Oups

Frank Gates

Cher M. Fullerman

Tom pourrait-il, s'il vous plaît,
être dispensé de piscine ?
Il est allergique ~~à l'eau~~
au chlore dans l'eau.

Merci,

Rita Gates

Ce n'est pas un très bon début pour la rencontre parents-professeurs. (Que dire ?... ça a marché un temps.)

Mais la bonne nouvelle, c'est que je m'en sors bien en arts plastiques et en rédaction.

L'orthographe, c'est moyen. Peux m'améliorer en maths. Peux mieux faire en SVT et en histoire. Convenable en sport.

Ce n'est pas si mal.
M. Fullerman dit que tout n'est pas perdu.
Ils parlent de moi pendant un bon moment (comme si je n'étais pas là).

et patati
et patata

Tom
ceci
Tom
cela

Je souris et j'accepte de :

1. 😊 Moins bavarder. 😊

2. Moins **GRIFFONNER** ⭐.

3. 😊 Ne plus jamais écrire de faux mots.

Dans l'ensemble, je ne suis pas un mauvais gosse.

Ça se passe *relativement* bien pour une rencontre parents-profs.

Jusqu'au moment où mes parents lisent :

« MA NOUVELLE ACTIVITÉ » (j'ai complètement oublié ça). Et alors tout part affreusement de travers.

À voir leur tête, je me doute qu'ils ne sont pas contents.

MA NOUVELLE ACTIVITÉ

Par Tom Gates

Mes parents se servent souvent de mon argent de poche pour me faire faire des choses que je n'adore pas faire.

Par exemple...
- Range ta chambre... sinon, pas d'argent de poche.
- Mange tes légumes... sinon, pas d'argent de poche.
- Sois gentil avec ta sœur... sinon, pas d'argent de poche.

(Je me demande d'ailleurs si ce n'est pas contraire à mes droits de l'homme ?) Et, comme si ça ne suffisait pas, mon père prend un malin plaisir à mettre mon argent dans des endroits inaccessibles, comme sur des portes, des étagères et des tas d'endroits beaucoup trop hauts pour moi.

HAUT

Quand j'arrive enfin à le récupérer, maman me l'emprunte souvent pour acheter le lait et le journal. Elle dit que c'est sa *réserve de secours.*

J'ai découvert ma nouvelle activité tout à fait par hasard.

Comme j'en avais marre d'écouter ma mère et Mme Fingle (la mère de Derek) « bavarder » devant les boutiques (pendant ce qui me paraissait des HEURES), je me suis assis par terre, sur le trottoir avec un air de *Et papati et patata* Mme Fingle

profond ennui (et en plus, j'avais mal aux jambes). Et puis quelqu'un est passé à côté de moi et m'a jeté une pièce sur les genoux.

Une vraie pièce !

C'était GENIAL !

(Peut-être qu'il avait eu PITIÉ de moi ?)

Alors j'ai fait une tête encore plus sinistre, et quelqu'un d'autre m'a lancé une pièce.
Le temps que Mme Fingle et ma mère aient fini de discuter, j'avais gagné ⟨ 3,70 € ⟩ tout seul comme un grand. Ça m'a fait réfléchir. Et si je me servais d'une petite pancarte écrite toute *TREMBLOTÉE*, comme ça

et que je mettais de vieux habits usés ?

Alors j'ai essayé, et ça m'a rapporté encore PLUS d'argent.
Ce qu'il y a de super, avec ma nouvelle activité, c'est qu'on peut la pratiquer n'importe où et que ça permet de rencontrer DES TAS de gens différents.

Maintenant, je n'ai plus à attendre que mes parents me donnent de l'argent de poche. C'est une activité que je recommande à

TOUT LE MONDE.

Et puis je joue aussi dans un groupe qui s'appelle

mais on ne gagne pas (encore) d'argent du tout.

Fin

- TU AS MENDIÉ ?

MENDIÉ !

JE N'ARRIVE PAS À Y CROIRE !

Mes parents me regardent fixement ⊙ ⊙ en secouant la tête.

(Je n'ai pas mendié : c'est juste une HISTOIRE.)

Sur le chemin du retour, ils me rappellent que :

- Tout le monde n'a **PAS** autant de chance que toi, Tom.

Et que :

- On ne mendie pas pour rire !

J'essaye de les convaincre que je n'ai pas mendié.

Je leur explique que je me suis simplement servi de mon imagination.

JAMAIS je ne mendierais. JAMAIS.

- Ce n'était qu'une histoire ! Vous savez, faire semblant... Ha ha ha ?

Je pense qu'ils me croient maintenant. Ouf.

Délia entend papa et maman parler de la rencontre parents-profs et du fait qu'ils ont crus que j'avais mendié.

Et la voilà qui vient me proposer une gaufrette au caramel. J'ai beau savoir qu'elle mijote quelque chose, je tends **BÊTEMENT** la main pour la prendre.

- Il paraît que tu es bon pour mendier ? Mendie donc la gaufrette alors, dit-elle en l'agitant sous mon nez.

Je veux **TELLEMENT** cette gaufrette que je lui dis :

- S'IL TE PLAÎT.

Et elle me répond :

- Dis : S'IL TE PLAÎT , JE T'EN SUPPLIE.
- S'IL TE PLAÎT , JE T'EN SUPPLIE.

(C'est carrément humiliant.)

– JE ne t'entends pas !

– JE T'EN SUPPLIE !

Et alors, à ma grande surprise, Délia me donne la gaufrette et s'éloigne en riant.

C'est seulement quand j'ouvre le papier que je me rends compte que je me suis laissé avoir par le vieux truc de l'emballage vide.

Très drôle, Délia.

Très drôle.

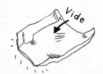

Vide

Tout à coup, l'inspiration vient, et je me dépêche d'écrire les paroles d'une nouvelle chanson. Un peu plus tard, lorsque Derek arrive, je lui fais lire le nouveau morceau que j'ai composé pour les

CLEBS
ZOMBIES

IL ADORE !

Délia est cinglée

Qui c'est la cinglée ?
Vêtue de **noir**
Le cheveu graisseux
C'est sans espoir
Ses coups sont foireux
Car dans son cœur
C'est de la froideur.

REFRAIN

Délia
Elle est CINGLÉE
Délia
Elle est TARÉE
Délia
Elle est CINGLÉE
Délia
La DEMEURÉE

Délia, elle est vache
Toujours elle se fâche
Méfie-toi de cette tache
Ses lunettes noires cachent
Ses yeux de serpent
Et elle chlingue vraiment
C'est l'enfer si je mens

REFRAIN

RETOUR à l'école

Tom, j'attends
toujours ton **DEVOIR.**

(J'ai bossé toute la soirée sur *Délia est cinglée*,
et je me suis laissé emporter. Cette chanson
commence à être vraiment bien. J'ai encore
rajouté quelques vers pas mal. Il faut que je
fasse mon devoir **CE SOIR** ☾ *

avant le concert de **RODEO 3**.)

Je suis **SI** excité que j'ai du mal à me
concentrer.

Marcus n'arrête pas de nous   v.i.p. v.i.p.
GONFLER avec ses billets V.I.P.   v.i.p. v.i.p.
— La ferme, Marcus.
Même Amy en a ras-le-bol.
M. Fullerman nous rappelle que **RODEO 3** n'est
pas le seul concert à venir (comment sait-il
pour **RODEO 3** ?).

– N'oubliez pas le spectacle de l'école,
nous dit-il.

Quand il commence son cours, j'essaie de calculer combien d'heures il faudra attendre avant le concert.

BEAUCOUP ooo trop.

La pendule de la classe n'a pas l'air de marcher du tout.
C'est le cours le plus **interminable** de tous les temps.

Je garde les yeux scotchés ☉ ☉ sur la pendule, et, c'est sûr, elle s'est **ARRÊTÉE.**

Plus je regarde... ☉ ☉ plus le temps passe lentement.

E t Mme Marmone ne cesse d'interrompre le cours avec des annonces que personne ne comprend.

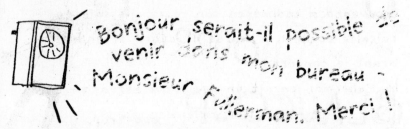

Bonjour, serait-il possible de venir dans mon bureau - Monsieur Fullerman. Merci !

– Quelqu'un a compris quelque chose ? demande le prof.

Mme Marmone recommence, mais ça n'est pas plus clair. (Ce cours ne se terminera donc JAMAIs ?)

M. Fullerman quitte la classe pour voir ce qui se passe.

– C'est peut-être important, dit-il.

(Si ça pouvait être vrai.)

Pendant son absence, j'ai une

IDÉE GÉNIALE !

Je monte sur la table et j'**avance** les aiguilles
de la pendule pour que le cours soit presque
fini. Les autres élèves
trouvent ça cool.

Hourra hourra ! HOURRA !

M. Fullerman paraît un peu troublé quand
il revient, et il vérifie sa montre.

– Est-ce que la pendule avance ?

– Non, monsieur Fullerman.

– Est-ce que quelqu'un y a touché ?

– NON, MONSIEUR FULLERMAN.

Il remarque que la pendule est un peu de travers
et n'est pas très convaincu. Il monte sur une
chaise et remet la pendule à la bonne heure.

Au même instant, Mme Marmone lance
un nouveau message. M. Fullerman sursaute,
perd l'équilibre et tombe de sa chaise.

C'est une
CaTaStRoPhE !

(À ce rythme-là, ce cours n'est **pas** près de se terminer.)

Si, si, bien sûr que je compatis. N'empêche qu'on n'aura JAMAIS vu de cours aussi long.

Le prof grimace de douleur, et il met deux fois plus de temps à faire ou dire quoi que ce soit. Du coup, la journée passe encore plus lentement. (On dirait que quelqu'un sait que le concert a lieu ce soir et fait tout pour ralentir l'univers.)

LES MATHS sont à mourir d'ennui.

LE SPORT semble ne jamais devoir finir. Je suis en train de me rhabiller dans le vestiaire de la salle de sport quand un bruit vraiment

ASSOURDISSANT

éclate dans les haut-parleurs.

(Mais ce n'est pas Mme Marmone, cette fois. C'est quelque chose d'encore plus PERÇANT.)

M. Fullerman dit que c'est l'

Alarme INCENDIE !

– Laissez tout et sortez sans vous bousculer. NE COUREZ PAS ! Allez dehors.

J'arrive à prendre mes chaussures et je suis les autres dans la cour. Même si on doit **attendre** de prendre le cahier d'appel et encore attendre que toutes les classes soient sorties, le temps paraît soudain *FILER À TOUTE VITESSE.* En particulier parce que Marcus a laissé son pantalon dans le vestiaire et se trimbale dans la cour en slip.

Mme Somme lui donne un pull à nouer autour de sa taille. Maintenant, on dirait qu'il a une jupe.

C'est le truc le plus **MARRANT** que j'aie vu depuis longtemps.

M. Fullerman nous dit qu'on peut rentrer un peu plus tôt, aujourd'hui. **HOURRA !**

La honte !

En rentrant, je raconte à Derek ce qui est arrivé à Marcus (surtout le coup du pull/jupe), et lui me dit qu'il a trouvé un nom pour son chien. J'essaye de deviner quoi.

– Roc ?

Choc ?

Croc ?

– Non, c'est **COQ**, dit-il.

– COQ ? Comme un poulet ? Tu donnes un nom de poulet à ton chien ?

(J'imagine que je vais m'y habituer.)

RODEO 3, NOUS VOILÀ !

COT COT

D erek a amené son chien, et Coq cherche Délia dans toute la maison. Elle est déjà partie retrouver son ami (ou plutôt son petit copain, si vous voulez mon avis). Derek et moi, on a mis nos T-shirts **RODEO 3** et ça fait cool.

Papa a mis un T-shirt horrible, et un pantalon épouvantable. Ça ne fait pas cool du tout.

Maman est d'accord avec moi et lui demande de se changer.

— Et on ne se jette pas dans la foule, lui recommande-t-elle juste avant qu'on parte.

Change-toi

Papa se souvient qu'il a oublié les billets dans son autre pantalon, et il retourne les chercher. Mais il ne les trouve **NULLE PART.**

C'EST AFFREUX.

Pas de panique.

JE PANIQUE !

Derek essaye de rester calme.

On fouille toute la maison. La chambre de Délia, ma chambre, la cuisine.

– Ne t'en fais pas, dit-il. Ils sont forcément quelque part.

Il cherche dans ses poches. Dans les chambres, la salle de bains. On est officiellement

DÉSESPÉRÉS.

Où sont passés les billets ? Ouah !

Coq nous court après dans

toutes les pièces. C'est vraiment pénible

parce qu'il n'arrête pas de japper et d'aboyer

et que ça stresse tout le monde.

Ouah !

Ouah !

Ouah !

Maman le fait sortir dans le jardin.
Je fouille ma chambre une dernière fois et
jette un coup d'œil par la fenêtre. Coq est
en train de jouer avec des bouts de papier.
Et on dirait bien que ces bouts de papier sont...

LES BILLETS !

– MÉCHANT COQ ! dit Derek.

C'est trop tard. Les morceaux sont tout
mélangés et couverts de marques de dents et
de bave de chien.

Je vais les recoller, assure mon père. Ça va aller.
Mais ça ne va pas du tout. Les billets sont
fichus .

– Peut-être que Kevin et Alice voudront bien nous vendre les leurs, dit papa.

– Je ne compterais pas dessus, réplique maman.

– On va trouver une solution, assure mon père.

Je suis trop DÉPRIMÉ pour répondre quoi que ce soit.

On va quand même à la salle.

– Je ne prendrai jamais de chien, je dis à Derek.

Je sais que c'est un peu injuste, parce que ce n'est pas de sa faute. Mais je suis vraiment furieux contre son sale poulet de chien.

GGGGGGGGGrrrrrrrrrrrrrrrrrrrrrrr.

MÉCHANT COQ

Amy est déjà là, et nous attend avec son père.

- Essayons de voir s'ils nous prennent quand même nos billets, dit papa.

Le type à l'entrée jette un coup d'œil sur les morceaux et secoue la tête.

– Désolé, mais je ne peux pas les prendre. C'est de la bouillie.

Alors que ça ne pouvait pas être pire, Marcus et son père sont arrivés avec quatre billets V.I.P. à la main. En fait, ils en ont deux en trop, et le père de Marcus [nous] propose de les prendre.

(Marcus ne ressemble pas du tout à son père, qui a l'air très sympa.)

Je meurs d'envie de voir le concert, mais mon père dit à Amy et à Derek d'y aller.

Père de Marcus →

Billets V.I.P.

- Parce qu'on pourra peut-être entrer avec oncle Kevin.

Je me montre TRÈS ⊙ ⊙ courageux. J'assure à Amy et à Derek que ça ne me dérange pas et que ça va aller. Et puis je les regarde pénétrer dans la salle pour assister au concert. (En fait, je n'arrive pas à croire que Derek et Amy soient partis avec **MARCUS !)**

CE SOIR **RODEO 3**

C'est
épouvantable.

Oncle Kevin et **T**ante **A**lice nous font
signe et appellent papa. Oncle Kevin a l'air
particulièrement content de lui. Papa lui raconte
ce qui s'est passé et qu'on ne peut pas entrer
avec nos billets en charpie. Son frère répond que
ça ne L'ÉTONNE PAS de lui, ce qui énerve
papa. Il se trouve que mon oncle (qui est
vendeur de son métier) a revendu les billets
trois fois leur prix. Il est très satisfait et
emmène sa famille au restaurant au lieu d'aller
au concert. (Je crois que mes cousins auraient
préféré voir le concert.)

Super, je suis en plein cauchemar. Maintenant, je ne pourrai plus JAMAIS voir mon groupe préféré.

Papa se rend compte que je suis **très**  malheureux.

- Reste là, ne bouge pas, me dit-il. Je vais trouver des billets. Ne t'en fais pas, Tom.

Je suis au
TRENTE-SIXIÈME
dessous.

Je m'assois par terre et j'ai vraiment l'air au bout du rouleau. Le concert va commencer et, vu comme c'est parti, on n'a plus aucune chance d'y assister.

Et puis j'ai une idée.

Il y a peu de chances, mais je n'ai RIEN à perdre.

Je suis prêt à tout.

Je trouve un sac en papier
et j'ai déjà un stylo.

Alors je me mets à écrire
et à dessiner.

J'attire pas mal l'attention, mais toujours pas de billet d'entrée.

Une dame passe à côté de moi en disant « Pauvre petit », ce que je trouve gentil.

Tout à coup, il y a un homme en pantalon de cuir qui est en train de lire ma pancarte.
Il secoue la tête et me regarde.

Je prends un air encore plus PITOYABLE.

Il s'approche et je lui trouve quelque chose de familier. Je suis certain de l'avoir déjà vu quelque part.
Il me pose alors une question :

– C'est ta nouvelle activité, Tom ?

Je me doute SOUDAIN de qui ça peut être...

NOM DE ZEUS ! C'EST

M. FULLERMAN

PANTALON DE CUIR !

ARGH !

ET il porte un pantalon en cuir ! Qu'est-ce qu'__IL__ fait là ? C'est l'horreur, de tomber sur un prof à l'extérieur de l'école. On ne pense pas vraiment qu'ils peuvent avoir une vie en dehors de la classe.

Ça fait un choc (surtout le pantalon de cuir).

Papa revient, sans un seul billet. Il n'est pas très content de me voir mendier.

TU MENDIES ?

- Tu m'as dit que tu avais inventé cette histoire, Tom !
- C'était... j'étais désespéré ! j'explique.
- Arrête de mendier tout de suite ! Il doit bien avoir un autre moyen de voir **RODEO 3**.

À ce moment-là, M. Fullerman dit :
— Bonsoir, monsieur Gates. Je crois que je dois pouvoir vous aider.

Papa paraît aussi stupéfait que moi de voir mon prof (surtout en pantalon de cuir).

D'ailleurs, je me demande bien ce que M. Fullerman peut faire à un concert de **RODEO 3**. Et vous savez quoi ?

En fait, il se trouve qu'il est allé à l'école

avec POTES le **MANAGER**

de **RODEO 3** !

Ils sont encore bons amis.

(M. Fullerman n'est PAS rien qu'un vieux prof grincheux, en fin de compte.)

Merci, vieux

Pas de problème, chouette futal

Il parle à quelqu'un en coulisse qui nous donne des passes.

SCOUIC

VOILÀ, je peux regarder tout le concert du bord de la scène !

J'EMBRASSERAIS bien M. Fullerman si ce n'était pas mon prof (et s'il ne portait pas de pantalon de cuir).

Je ne pourrais pas être mieux placé !

RODEO 3 est carrément génial, et je vois **TOUT**.

Je repère Derek et Amy et je leur fais signe. Ils me font signe aussi. | Marcus | n'en revient tellement pas qu'il ouvre la bouche comme un poisson rouge.

(C'est presque le meilleur moment du concert. Ha ha !)

Et puis j'aperçois Délia dans la foule. Elle est avec son copain. Je le montre à papa et histoire de semer la pagaille, je dis qu'il a TRÈS mauvaise réputation.

Je passe une soirée carrément fantastique. **RODEO 3** joue tous ses tubes. Et puis, à la fin... c'est encore plus génial...

(Je ne me laverai plus jamais les mains.)

Je plane encore en rentrant à la maison.

Papa a oublié ma pancarte de mendiant (ouf).

Il est trop occupé à s'inquiéter pour le petit copain louche de Délia.

Je me couche super heureux et me repasse tout le concert dans ma tête.

C'est sûrement

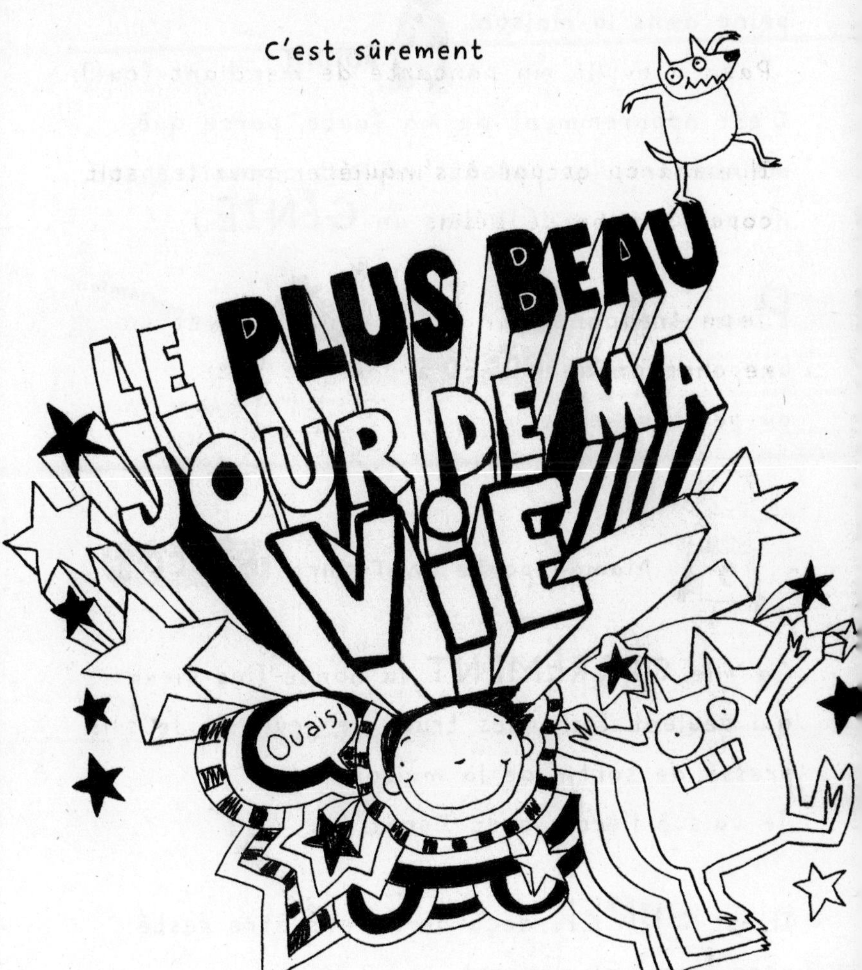

Ce matin, Délia traîne comme une âme en peine dans la maison. Grrrrrrrr

C'est apparemment de ma faute, parce que, maintenant, les parents veulent connaître son nouvel « ami ». (Je suis un GÉNIE.)

Papa fredonne une chanson de  au petit déjeuner. mmmmmmmmmm

 Maman porte un T-shirt .

Ça file CARRÉMENT la honte (les vieux qui veulent faire des trucs de jeunes). Je suis pressé de sortir de la maison.
Je vais à l'école avec Derek.

Il est SUPER déçu de ne pas être resté avec moi au concert.

Ça fait *VRAIMENT* bizarre de revoir **M**. Fullerman en prof.

Le premier truc qu'il me demande, c'est :

– OÙ EST TON DEVOIR, TOM ?

– Mais j'étais au concert, m'sieu, vous vous souvenez ?

Il réplique que ce n'est pas une excuse et que j'aurai une retenue si je ne l'apporte pas demain matin à la première heure.
Je trouve ça un peu dur.

(Il est plus prof que **jamais**.)

Avec toute la panique du concert de 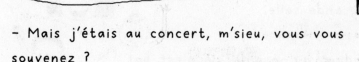 **RODEO 3** j'ai complètement oublié le spectacle de l'école, qui doit apparemment avoir lieu

AUJOURD'HUI .

Ça ne me stresse pas puisque je n'y suis pas.

(Pas de chorale, et c'est un soulagement.) Ouf.

Mme Somme demande de l'aide
pour apporter des chaises dans
la grande salle.

Pendant qu'on aide, on n'est pas
en cours, alors je me porte volontaire.

Tout ce qu'on attend de moi, c'est de montrer
aux petits quoi faire. Pas TROP dur, hein ?

On sort toutes les chaises, et là, ils commencent
à s'agiter. Alors je prends un air SÉVÈRE
et je les fais jouer aux chaises musicales.
Ça a l'air de leur plaire. Comme il n'y a
pas de musique, je leur chante ma chanson
des CLEBSZOMBIES :

« Délia est cinglée ».

Délia elle est CINGLÉE ♫♪
DÉLia elle est tarée ♪

Ça roule impec. Tous les petits reprennent
le refrain avec moi.
- Délia, elle est cinglée ! Délia, elle est tarée.
(C'est dingue ce que ça rentre dans la tête.)
Et puis je leur chante la suite...

Quand M. Fana passe la tête par la porte pour voir ce qu'on fabrique, on fait tous mine de ranger les chaises. (Les petits apprennent vite.)

– Elle est chouette, cette chanson, Tom, dit-il.

– Vraiment, m'sieu Fana ?

– Tu chantes au concert de ce soir ?

– Non, m'sieu Fana.

– Pourquoi ça ? Tu devrais ! Je vais en parler avec Mme Somme pour qu'elle te laisse un petit créneau à la fin.

– Non, m'sieu Fana, ce n'est pas la peine... Vraiment. Je n'ai pas envie de chanter.

**– Mais non, ça me paraît excellent.
Vous n'êtes pas d'accord, les
enfants ?**

– SI, SI !

s'écrient tous les petits en tapant des mains.

Grrrrr... je n'avais vraiment pas besoin de ça.

Ça pourrait se révéler très

humiliant.

CORRECTION : ça VA se

révéler très humiliant.

Et aussi je ne crois pas que

M. Fana ait entendu toutes

les paroles de la chanson des

CLEBSZOMBIES.

Imbécile

- T'ES FOU ?

Évidemment que je ne veux
PAS jouer au spectacle de
l'école ! s'écrie Derek.

Il pense que les **CLEBSZOMBIES** doivent
faire très attention à bien programmer leur
premier concert.

(Autrement dit, on est encore un peu nuls et
il nous faut beaucoup plus de répètes que ça.)

MAIS il imagine un PLAN GÉNIAL
qui va me tirer du pétrin
et m'épargner une grave
humiliation. ☺

Le SEUL point positif de ce spectacle, c'est qu'on rentre plus tôt pour « se préparer ». (C'est-à-dire, dans mon cas, manger des gaufrettes au caramel.)

- Qu'est-ce que c'est que cette histoire de spectacle de l'école ce soir ? me demande ma mère.

(J'ai oublié de leur en parler.)

- Et tu participes ?

- Un peu... je réponds.

Les parents ont prévu de rencontrer le « copain » louche de Délia ce soir.

- Je ne vais pas les laisser seuls ici, dit papa. Il va falloir qu'ils nous accompagnent au spectacle.

Ha ! Ha ! Délia sera ravie !

Je te déteste

Une soirée romantique...
à mon spectacle d'école.
Elle sera tellement furieuse que ça
vaut presque le coup de participer.
Avec Derek, on revoit une dernière fois la mise
au point de notre plan en retournant à l'école.
Il faut que ça marche, sinon, je suis fichu.

La grande salle de l'école est déjà bourrée
de monde. Mes parents sont assis au fond, et
je préfère parce que ma mère est en T-shirt

 et mon père en
tenue de jardinage.

Reprises

Délia et son  « copain » s'éclatent
(PAS).

Derek et moi, on revoit une dernière fois notre
plan. Pourvu que ça marche.

Les lumières s'éteignent et le spectacle commence.
Il y a d'abord des poèmes (à peine ennuyeux).

Sous l'étoile qui luit,
De peur on s'est enfuis,
C'est la nuit.

Ensuite, on doit écouter des chansons et, bien

sûr, la chorale. C'est trop
drôle de regarder Marcus
et Balèze SE BALANCER
d'un côté puis de l'autre.

Amy est excellente (évidemment).

roulis

AMY

Les CE2 jouent une scène.
(Très marrant.) Et les CM1
font une chorégraphie.

(C'est de la daube.)

M. Fana nous fait tout un discours comme quoi ça a été un très bon trimestre, et patati et patata.

Et puis il raconte À TOUT LE MONDE qu'il m'a entendu chanter et a trouvé que je devais absolument participer au concert.

C'est HORRIBLE... je sens le trac monter et je transpire.

C'est à moi, maintenant.
M. Fana me demande le titre de ma chanson.

- « Délia est Cinglée ».

Ça fait rire tout le monde... sauf Délia, qui m'adresse un regard NOIR.

Je prends place sur la scène et je me racle la gorge. Tout le monde me regarde et attend.

Alors je me racle encore une fois la gorge...

Et j'attends...
J'attends...

Je gratouille un peu les cordes (comme pour me chauffer). (M. Fana me fixe d'un regard furieux.)
Je me dis qu'il va falloir que je me mette vraiment à chanter si le plan de Derek ne marche pas...

Quand ENFIN...

UN BRUIT VRAIMENT ASSOURDISSANT RETENTIT.

M. Fullerman dit à tout le monde de garder son calme. Ce n'est que

L'ALARME INCENDIE !

Nous devons tous quitter l'école sur-le-champ.

Le concert est arrêté.

BIEN JOUÉ !

Derek est un **GÉNIE** ! Il me fait le signe de la victoire en sortant.

Et ce n'est pas tout... Délia entend des petits chanter le refrain de ma chanson...

DÉLIA, elle est cinglée, DÉLIA, elle est tarée !

Elle n'est pas ravie, mais son copain éclate de rire – à ce train-là, il ne va pas rester son copain longtemps !

Qu'est-ce qu'il y a de drôle !

Mes parents trouvent très dommage que je n'aie pas pu chanter. (Moi non !)

- Mais la prochaine fois, prends un autre sujet que ta sœur, me dit ma mère. Ça la met dans tous ses états.
(MAIS C'EST LE BUT !)

Papa me conseille de penser à quelqu'un d'autre qui m'embête.

- Genre ton oncle Kevin, ajoute-t-il.
Ça me fait rire.

Mais maman lui fait les yeux NOIRS.

(Houlà !)

Une fois rentrés à la maison, papa et moi,

on file dans sa cabane pour
déguster sa réserve secrète
de gaufrettes. (MIAM !)

Demain, c'est le dernier jour du trimestre.
Alors IL NE FAUT PAS QUE J'OUBLIE.

Je n'ai plus que ce soir pour écrire ma critique.
(C'est le dernier truc qu'il me reste à faire.)

Je sais, je vais écrire une critique sur le
spectacle de l'école. Ça sera vite fait !
Mais d'abord, je mange le dernier biscuit et je
reconstitue l'emballage pour Délia... Ha ! Ha !

Et je fais encore quelques dessins.

ENSUITE, j'attaquerai mon devoir...

... demain matin.

(J'aurai **PLEIN** de temps pour
le faire, si je me lève tôt.)

C'est une bonne idée

Mo Fullerman, je regrette TELLEMENT
pour ma CRITIQUE.
Comme vous pouvez le voir, je L'AVAIS faite.

Laissez-moi vous expliquer.

Je venais à l'école quand je me suis fait
poursuivre et

AGRESSER

par un chien
TRÈS MÉCHANT.

Je me suis défendu avec la première chose qui
m'est tombée sous la main.

Mon cahier d'exercices.

HEUREUSEMENT, je m'en suis sorti (de justesse).
Mais pas la CRITIQUE QUE J'AVAIS ÉCRITE...

Encore pardon.

Sapristi, Tom.
Moi qui avais tellement hâte de lire
enfin ton devoir.
Il va falloir que tu le réécrives
pendant les vacances.
Espérons que tu ne te feras pas
entre-temps enlever par des extraterrestres
ou attaquer par des GÉANTS.
Quelle vie mouvementée tu mènes, Tom.
En attendant de te revoir, toi (et ton devoir)
au prochain trimestre.

M. Fullerman

(Bien joué !) ☺

Bave de chien

Ma critique
Par Tom Gates

Marques de crocs
de chien méchant

Autre tache de bave de chien

Fin

Liz Pichon

Après des études de graphisme, Liz Pichon a travaillé en tant que directrice artistique dans une maison de disque britannique. Au début des années 2000, elle se lance dans l'écriture et l'illustration de livres pour enfants. Elle connaît un immense succès à la parution de *Tom Gates* en 2011, qui reçoit le Prix Roald Dahl de l'humour. Liz Pichon vit aujourd'hui à Brighton, en Angleterre.

CE ROMAN
VOUS A PLU ?

Donnez votre avis
et retrouvez
d'autres lecteurs sur

LECTURE
academy.com

Le Livre de Poche s'engage pour l'environnement en réduisant l'empreinte carbone de ses livres. Celle de cet exemplaire est de : 350g éq. CO₂
Rendez-vous sur www.livredepoche-durable.fr

PAPIER À BASE DE
FIBRES CERTIFIÉES

« Pour l'éditeur, le principe est d'utiliser des papiers composés de fibres naturelles, renouvelables, recyclables et fabriquées à partir de bois issus de forêts qui adoptent un système d'aménagement durable. En outre, l'éditeur attend de ses fournisseurs de papier qu'ils s'inscrivent dans une démarche de certification environnementale reconnue. »

Édité par la Librairie Générale Française - LPJ
(58 rue Jean Bleuzen, 92178 Vanves Cedex)

Composition Nord Compo
Achevé d'imprimer en Espagne par CPI
Dépôt légal 1ʳᵉ publication octobre 2015
88.0395.7/02 - ISBN : 978-2-01-249028-4
Loi n° 49-956 du 16 juillet 1949 sur les publications destinées à la jeunesse
Dépôt légal: avril 2016